REGAIN

DU MÊME AUTEUR

JEAN GIONO

REGAIN

ROMAN

ÉDITIONS BERNARD GRASSET
61, RUE DES SAINTS-PÈRES-VIᵉ
PARIS

IL A ÉTÉ TIRÉ DE CET OUVRAGE : HUIT EXEMPLAI-
RES SUR PAPIER JAPON NACRÉ, NUMÉROTÉS JAPON
NACRÉ 1 à 5 ET I à III; VINGT-QUATRE EXEM-
PLAIRES SUR VÉLIN D'ARCHES, NUMÉROTÉS ARCHES
1 à 20 ET I à IV; SOIXANTE-SIX EXEMPLAIRES SUR
VÉLIN PUR FIL LAFUMA, NUMÉROTÉS VÉLIN PUR
FIL 1 à 60 ET I à VI; ET HUIT CENTS EXEMPLAIRES
SUR ALFA SATINÉ OUTHENIN-CHALANDRE, CONSTI-
TUANT PROPREMENT ET AUTHENTIQUEMENT LA
PREMIÈRE ÉDITION, NUMÉROTÉS 1 à 770 ET à XXX.

PREMIÈRE PARTIE

I

Quand le courrier de Banon passe à Vachères, c'est toujours dans les midi.

On a beau partir plus tard de Manosque les jours où les pratiques font passer l'heure, quand on arrive à Vachères, c'est toujours midi.

Réglé comme une horloge.

C'est embêtant, au fond, d'être là au même moment tous les jours.

Miche, qui conduit la patache, a essayé une fois de s'arrêter à la croisée du Revest-des-Brousses, et de « tailler une bavette » avec la Fanette Chabassut, celle qui tient le caboulot des Deux-Singes, puis de repartir tout plan pinet. Rien n'y fait. Il voulait voir; eh bien! il a vu!

Sitôt après le détour « d'hôpital », voilà le clocher bleu qui monte au-dessus des bois

comme une fleur et, au bout d'un petit moment, voilà sa campane qui sonne l'angé-
lus avec la voix d'une clochasse de bouc.

— Eh, c'est encore midi, dit Michel, et
puis, penché sur la boîte de la patache :

— Vous entendez, là-dedans ? C'est encore midi; il n'y a rien à faire.

Alors, que voulez-vous, on tire les paniers
de dessous la banquette et on mange.

On tape à la vitre :

— Michel, tu en veux de cette bonne
andouillette ?

— Et de cet œuf ?

— Et de ce fromage ?

— Ne te gêne pas.

Il ne faut pas faire du tort à personne.
Michel ouvre le portillon et prend tout ce
qu'on lui donne.

— Attendez, attendez, j'ai les mains
pleines.

Il met tout ça à côté de lui, sur le siège.

— Passez-moi un peu de pain aussi. Et
puis, s'il y en a un qui a une bouteille !...

Après Vachères, ça monte.

Miche, alors, attache les guides à la ma-
nivelle du frein et il commence à manger,

tranquillement, en laissant les chevaux aller leur train.

Ceux qui sont dans la voiture, c'est, la plupart du temps, toujours les mêmes : un acheteur de lavande qui vient des villes de la côte, un Camous, ou un nom comme ça; un berger qui monte aux pâtures, et qui taille régulièrement dans son pain un morceau pour lui, un morceau pour son chien; une maîtresse de ferme, toute sur son « trente-et-un » de la tête aux pieds; et une de ces filles des champs qui sont comme des fleurs simples, avec du bleuet dans l'œil. Quelquefois il y a, en plus, le percepteur et sa serviette assis à côté comme deux personnes raisonnables.

Le clocher de Vachères est tout bleu ; on l'a badigeonné de couleur depuis la sacristie jusqu'au petit chapeau de fer. Ça, c'est une idée de ce monsieur du domaine de la Sylvabelle. Il n'a pas voulu en démordre.

— Puisque je vous dis que je paye la couleur, moi, toute la couleur; et que je paye le peintre, moi; puisque je vous dis que

vous ne payez rien et que je paye tout,
moi !

Alors, on l'a laissé faire. Ça n'est pas
si vilain, et puis, ça se voit de loin...

Ceux qui voyagent dans la voiture du
courrier le regardent longtemps, ce clocher
bleu, tout en mâchant l'andouillette. Ils le
regardent longtemps parce que c'est le dernier clocher avant d'entrer dans le bois,
et que, vraiment, à partir d'ici, le pays
change.

Voilà : de Manosque à Vachères, c'est
colline après colline, on monte d'un côté
on descend de l'autre, mais, chaque fois,
on descend un peu moins que ce qu'on a
monté. Ainsi, peu à peu, la terre vous
hausse sans faire semblant. Ceux qui ont
déjà fait le voyage deux ou trois fois s'en
aperçoivent parce qu'à un moment donné
il n'y a plus de champ de légumes, puis,
parce que le blé est de plus en plus court,
puis, parce qu'on passe sous les premiers
châtaigniers, puis, parce qu'on traverse à
gué des torrents d'une eau couleur d'herbe
et luisante comme de l'huile, puis, parce

que, enfin, paraît la tige bleue du clocher
de Vachères, et que, ça, c'est la borne.

On sait que la montée qui commence
là, c'est la plus longue, c'est la plus dure,
c'est la dernière; et que, d'un seul élan,
elle va porter les chevaux, la patache, et
les gens au plein milieu du ciel, avec et les
vents et les nuages. On ne descend plus de
l'autre côté. On va monter, d'abord sous
bois, puis à travers une terre malade de
lèpre comme une vieille chienne qui perd
ses poils. Puis, on va être si haut qu'on
recevra sur les épaules comme des coups
d'ailes en même temps qu'on entendra le
ronflement du vent-de-toujours. Enfin, on
abordera le plateau, l'étendue toute rabo-
tée par la grande varlope de ce vent; on
trottera un petit quart d'heure et, dans une
molle cuvette où la terre s'est affaissée sous
le poids d'un couvent et de cinquante maisons, on trouvera Banon.

Les chevaux ont l'habitude. Il y a d'a-
bord un beau détour, comme un coude de
bras; les clochettes des deux colliers : les
graves pour le cheval roux, les claires pour

le cheval blanc sonnent, tantôt les unes
tantôt les autres dans l'effort des garots :
à toi, à moi, à toi, à moi... puis l'ornière
oblique toute seule vers un bosquet de châtaigniers et les chevaux s'arrêtent, sans
commandement.

Michel saute du siège, ouvre la portière
et invite à descendre :

— Sieurs dames, pour soulager les chevaux...

Aujourd'hui, il y a comme ça la mademoiselle Delphine du bureau de tabac, la
grosse Laure Duvernet qui va à la ferme des
Glorias aider à tuer le cochon et l'oncle
Joseph. En sautant sur la route, ils disent :

— Monstre, tu nous fait sortir avec un
temps comme ça !

Le vent de novembre écrase les feuilles
de chênes avec des galopades de troupeau.
Il est tout bien froid jusqu'au fond, d'un
beau froid dur. Il a fait taire d'un seul coup
toutes les sources; il n'y a plus que son bruit
dans les bois.

— Oh, pour un peu de vent qui passe !

L'oncle Joseph, c'est le plus vieux.

— L'oncle, dit Michel, ça va vous faire du bien d'un peu marcher.

C'est l'oncle d'Agathange, le cafetier du cercle à Banon. On a l'habitude de le rencontrer dans le café près du poêle ou près de la partie de manille, et c'est, comme ça, l'oncle de tout le monde.

— Oh, moi, le bien...

— Enfin, pourtant, ça va la santé ?

— Je me plaindrais, j'aurais tort.

— Ah vous avez bien fait de venir chez le neveu. C'était plus une vie ce que vous faisiez là-bas à Aubignane.

— C'était plus guère tenable. On n'était plus que cinq; puis le Felippe a eu sa place de facteur au Revest. Alors, c'est venu de moi; j'ai dit : « Qu'est-ce que tu plantes ici ? D'un jour à l'autre, ça va tout te dégringoler sur la tête. En galère ! » C'est à ce moment-là que je l'ai fait dire au neveu. Je lui ai tout donné. Moi, un peu de soupe, un peu de tabac, je fais mon train.

— Et les autres, ils y sont encore là-bas ?

— Je l'ai su par un des Hautes-terres.

Ils y sont encore trois. Il y a Gaubert; tu
sais, le « gnigne-queue », le père du Gaubert
qui est garde aux Rouvières. Il est encore
plus vieux que moi. Il y a Panturle; celui-
là... et puis, il y en a une qu'on y dit : la
Piémontaise. Trois !

Le vent soulève le ciel comme une mer.
Il le fait bouillonner et noircir, il le fait écu-
mer comme les montagnes. Il n'y a plus de
soleil. Il n'y a plus ces plaques étales
d'azur paisible; il n'y a plus que la course
des nuages. Ils descendent vers le sud.

A des moments, ce vent plonge, écrase
le bois, s'élance sur la route en tordant de
longues tresses de poussière. Les chevaux
s'arrêtent, baissent la tête. Le vent passe.

Quand le souffle lui est revenu :

— Cette Piémontaise, dit la grosse
Laure, c'est pas une femme qui a les cheveux rouges ? Elle a toujours un de ces
fichus... elle va aussi aider pour les cochons.
Je l'ai rencontrée aux cerisettes l'an passé.

— Toi, tu connais toujours, dit l'oncle
et, au fond, tu ne connais rien. Non, elle
n'a pas les cheveux rouges. Elle ne sort
guère d'Aubignane. C'est une vieille cavale

toute noire; la zia Mamèche c'est son nom.
Cette femme, ça fait au moins quarante ans
qu'elle est là-bas. Je me souviens, moi, de
quand elle est arrivée. Elle ne savait pas
un mot de français. Elle se mettait sous un
talus et elle chantait. Puis, son homme est
mort... Puis, son petit est mort...

C'est même quelque chose de curieux,
ça...

Le vent hurle derrière les nuages.

« ...Son homme, c'était un puisatier. Il
avait prise l'entreprise du communal. Ce
que c'est que le destin ! On faisait un puits
nous, à Aubignane; lui, il était de l'autre
côté de ses Alpes, peut-être bien tranquille.
Nous, avec notre puits, on arrive à un endroit difficile tout en sable qui coule, et
notre maçon qui était des Corbières nous
dit : « Je ne descends plus là-dedans; j'ai
pas envie d'y rester. » Lui, le Piémontais,
c'est juste à ce moment-là qu'il arrive à
Aubignane, avec guère de sous et une femme qui allait faire le petit. Ce qui l'avait
tiré de là-bas ici, allez chercher : le destin !

— Moi je descends, qu'il dit :

Il a creusé au moins quatre mètres. Il remontait tous les soirs, blanc, gluant comme un ver, avec du sable plein le poil. Et, un soir vers les six heures, on a entendu, tout par un coup, en bas, comme une noix qu'on écrase entre les dents; on a entendu couler du sable et tomber des pierres. Il n'a pas crié. Il n'est plus remonté. On n'a jamais pu l'avoir. Quand au milieu de la nuit, on a descendu une lanterne au bout d'une corde pour voir, on a vu monter l'eau au-dessus de l'écroulement. Elle montait vite. On était obligé de hausser la corde à mesure. Il y avait au moins dix mètres d'eau au-dessus de lui.

— Alors ! fait Michel qui s'arrête tout pétrifié au milieu de la route. Puis, il recommence à marcher parce que sa voiture et les autres avancent.

— Le plus, continue l'oncle Joseph, c'est que ça n'est pas tout là. Elle était marquée cette femme ! Ça va bien. Son homme meurt, comme je vous dis. Et nous, à la commune, on s'arrange pour lui donner du secours. Et, on laisse le puits. On ne voulait pas boire de cette eau.

Elle eut son petit peut-être deux mois après. On disait : « Avec ce qu'elle a passé, il naîtra mort. » Non, son petit était beau. Alors, elle a un peu repris de la vie. Elle faisait des paniers. Elle allait au ruisseau. Elle coupait l'osier et elle tressait la corbeille. Elle portait le jeune homme dans un sac et, pendant qu'elle travaillait, elle le posait dans l'herbe et elle chantait. Il restait tranquille. C'est arrivé combien de fois. Elle lui donnait des fleurs pour l'amuser. C'est de ça qu'elle aurait dû se méfier. Il avait trois ans; il courait seul.

Cette fois, c'est l'oncle qui s'arrête au milieu de la route.

— Vous savez que ce n'est pas commode de parler en montant la côte ! Je souffle ! Je me fais vieux !

Il repart doucement. Il continue.

— Alors, une fois, c'était à l'époque des olives, on a entendu dans le bas du vallon comme une voix du temps des loups. Et ça nous a tous séchés de peur sur nos

échelles. C'était en bas, près du ruisseau.
On est descendu à travers les vergers, tous
muets, à ne pas savoir. Nos femmes étaient
restées, toutes serrées en tas. Et ça hurlait
toujours, en bas, à déchirer le tendre du
ventre !

Elle était comme une bête. Elle était couchée sur son petit comme une bête. On a
cru qu'elle était devenue folle. L'Onésime
Bus met sa main sur elle pour la lever de
là-dessus et, elle se retourne et, à pleine
bouche, elle lui mord la main.

A la fin, on a pu l'emporter. Son petit
était dans l'herbe, tout noir déjà, et tout
froid, l'œil gros comme un poing et, dans
la bouche, une bave épaisse comme du miel.
Il était mort depuis longtemps. On a su,
parce qu'il en avait encore des brins dans sa
petite main, qu'il avait mangé de la ciguë.
Il en avait trouvé une touffe encore toute
verte. Il s'en était amusé pas très loin de sa
mère qui chantait.

— Pauvre Dieu ! geint mademoiselle
Delphine.

Ils marchent un long moment tous les

quatre, sans rien dire. Le vent éparpille le
bruit des clochettes comme des gouttes
d'eau. Le côté gauche du bois est comme
d'un coup tout effondré et c'est un val. Un
chemin ouvre sa bouche au ras de la route.
Il a dû ramper à travers bois et monter, et
s'enlacer pour venir jusque-là. Il est mort.
Il est tout vert d'herbe. On le voit immobile,
allongé sous les chênes. Les feuilles se col-
lent sur lui, les herbes poussent à travers
lui comme à travers un serpent mort.

Par la fente du val on voit, au-delà, un
pays tout roux comme un renard.

— Le voilà, votre chemin d'Aubignane,
dit Michel. Ça n'a pas l'air bien passager.
Allez, maintenant : en voiture, l'oncle; ser-
rez-vous à côté des filles, vous aurez chaud.

Mademoiselle Delphine a de gros mollets
qui débordent en bourrelets la tige des bottines. Quand elle monte le marchepied, elle
sait que Michel les regarde. Elle s'arrête,
une jambe en l'air, et elle demande :

— Alors, l'oncle, c'est là-bas, Aubigna-
gne, là où ça a l'air tout mort ?

II

Aubignane est collé contre le tranchant du plateau comme un petit nid de guêpes ; et c'est vrai, c'est là qu'ils ne sont plus que trois. Sous le village la pente coule, sans herbes. Presque en bas, il y a un peu de terre molle et le poil raide d'une pauvre oseraie. Dessous, c'est un vallon étroit et un peu d'eau. C'est donc des maisons qu'on a bâties là, juste au bord, comme en équilibre, puis, au moment où ça a commencé à glisser sur la pente, on a planté, au milieu du village le pieu du clocher et c'est resté tout accroché. Pas tout : il y a une maison qui s'est comme décollée, qui a coulé du haut en bas, toute seule, qui est venue s'arrêter, les quatre fers d'aplomb au bord du ruisseau, à la fourche du ruisseau et de ce qu'ils appelaient la route, là, contre un cyprès.

C'est la maison de Panturle.

Le Panturle est un homme énorme. On dirait un morceau de bois qui marche. Au gros de l'été, quand il se fait un couvre-nuque avec des feuilles de figuier, qu'il a les mains pleines d'herbe et qu'il se redresse, les bras écartés, pour regarder la terre, c'est un arbre. Sa chemise pend en lambeaux comme une écorce. Il a une grande lèvre épaisse et difforme, comme un poivron rouge. Il envoie la main lentement sur toutes les choses qu'il veut prendre, généralement, ça ne bouge pas ou ça ne bouge plus. C'est du fruit, de l'herbe ou de la bête morte; il a le temps. Et quand il tient, il tient bien.

De la bête vivante, quand il en rencontre, il la regarde sans bouger : c'est un renard, c'est un lièvre, c'est un gros serpent des pierrailles. Il ne bouge pas; il a le temps. Il sait qu'il y a, quelque part, dans un buisson, un lacet de fil de fer qui serre les cous au passage.

Il a un défaut, si on peut dire : il parle

seul. Ça lui est venu aussitôt après la mort
de sa mère.

Un homme si gros que ça, ça avait une
mère comme une sauterelle. Elle est morte
du mal. On appelle ça : « le mal », mais
c'est une vapeur; ça prend les gens d'âge.
Ils ont les « trois sueurs », le « point de
côté » puis, ça s'arrache tout, là-dedans et
ils meurent. C'est le sang qui se caille comme du lait.

Quand elle a été morte, il l'a prise sur son
dos et il l'a portée au ruisseau. Il y a là un
pré d'herbe, le seul de tout le pays, un petit
pré naturel et il a quitté sa mère sur l'herbe.
Il lui a enlevé sa robe, et ses jupes, et ses
fichus parce qu'elle était morte habillée. Il
n'avait pas osé la toucher pendant qu'elle
souffrait et qu'elle criait. Comme ça, il l'a
mise nue. Elle était jaune comme de la
vieille chandelle, jaune et sale. C'est
pour ça.

Il avait porté un morceau de velours et
la moitié d'une pièce de savon et il a lavé sa
mère de la tête aux pieds, partout en faisant bien le tour des os, parce qu'elle était
maigre. Puis, il l'a mise dans un drap, et

il est allé l'enterrer; c'est du soir même
qu'il s'est mis à parler seul.

Des fois, il monte au village voir Gaubert
ou la zia Mamèche.

Gaubert, c'est un petit homme tout en
moustache. Du temps où il y avait ici de la
vie, je veux dire quand le village était ha-
bité à plein, du temps des forêts, du temps
des olivaies, du temps de la terre, il était
charron. Il faisait des charrettes, il cerclait
les roues, il ferrait les mulets. Il avait alors
de la belle moustache en poils noirs; il avait
aussi des muscles précis et durs comme du
bambou et trop forts pour son petit corps,
et qui le lançaient à travers la forge, de ci,
de là, de ci, de là, toujours en mouvement,
à sauts de rat. C'est pour cela qu'on lui a
mis le nom de « guigne-queue » : ce petit
oiseau que les buissons se jettent comme
une balle sans arrêt pendant trois saisons
de l'an.

C'est Gaubert qui faisait les meilleures
charrues. Il avait un sort. Il avait creusé
un trou sous un cyprès et le trou s'était em-
pli d'eau, et cette eau était amère comme
du fiel de mouton, probablement parce

qu'elle suintait d'entre les racines du cyprès. Quand il voulait faire une charrue, il
prenait une grande pièce de frêne et il la
mettait à tremper dans le trou. Il la laissait
là pas mal de temps, de jour et de nuit, et
il venait quelquefois la regarder en fumant
sa pipe. Il la tournait, il la palpait, il la
remettait dans l'eau, il la laissait bien s'im-
biber, il la lavait avec ses mains. Des fois,
il la regardait sans rien faire. Le soleil na-
geait tout blond autour de la pièce de bois.
Quand il revenait à la forge, Gaubert avait
les genoux des pantalons tout verts d'herbe
écrasée. Un beau jour, c'était fait; il sortait
sa poutre et il la rapportait sur l'épaule,
toute dégouttante d'eau comme s'il était
venu de la pêcher dans la mer; puis, il s'as-
seyait devant sa forge. Il mettait la pièce de
bois sur sa cuisse. Il la pesait de chaque côté
à petites pesées; il la tordait doucement et
le bois prenait la forme de la cuisse. Eh
bien, ça, fait de cette façon, c'étaient les
meilleures charrues du monde des labou-
reurs. Une fois finie, on venait la voir; on
la touchait; on la discutait; on disait :

— Gaubert, combien tu en veux ?

Et lui, il s'arrêtait de sauter de l'enclume
au baquet pour dire :

— Elle est promise.

Maintenant, Gaubert, c'est un petit
homme tout en moustache. Les muscles
l'ont mangé. Ils n'ont laissé que l'os, la
peau de tambour. Mais il a trop travaillé,
et plus avec son cœur qu'avec ses bras; ça
fait maintenant comme un folie.

Sa forge est au sommet du village. C'est
une forge froide et morte. La cheminée s'est
battue avec le vent et il y a des débris de
plâtre et de briques dans le foyer. Les rats
ont mangé le cuir du soufflet. C'est là qu'il
habite, lui, Gaubert. Il a fait son lit à côté
du fer qui restait à forger et qu'il n'a pas
forgé. C'est allongé, glacé dans l'ombre,
sous la poussière, et il s'allonge à côté, le
soir. Sur le parquet de terre battue, l'humide a fait gonfler des apostumes gras.
Mais, il y a encore l'enclume et, autour
d'elle comme un cal, la place nette, tannée
par les pieds du forgeron. L'enclume est
toute luisante, toute vivante, claire, prête
à chanter. Contre elle, il y a aussi un mar-
teau pour « frapper devant ». Le bois du

manche luit du même bon air que l'enclume. Tout le jour, quand il s'ennuie,
Gaubert vient, met les deux mains au mar-
teau, le lève et tape sur l'enclume. Comme
ça, pour rien, pour le bruit, pour entendre
le bruit, parce que, dans chaque coup, il
y a sa vie, à lui.

Ce bruit d'enclume, ça va dans la campagne et parfois ça rencontre Panturle qui
chasse. C'est encore une chose à quoi on
peut parler, ça.

Ce matin, c'est le grand gel et le silence.
C'est le silence, mais le vent n'est pas bien
mort; il ondule encore un peu; il bat encore
un peu de la queue contre le ciel dur. Il n'y
a pas encore de soleil. Le ciel est vide; le
ciel est tout gelé comme un linge étendu.

Il y a du feu chez Panturle. Il se lève
au blanc de l'aube. Il est là, debout, devant
l'âtre, à regarder les flammes bourrues qui
galopent sur place à travers des ramées d'o-
liviers sèches. Il prend le chaudron aux
pommes de terre. De l'eau et des pommes

de terre c'est, tout à la fois, la soupe le
fricot et le pain.

Le feu d'oliviers, c'est bon parce que ça
prend vite mais c'est tout juste comme un
poulain, ça danse en beauté sans penser
au travail. Comme la flamme indocile se
cabre contre le chaudron, Panturle la mate
en tapant sur les braises avec le plat de sa
main dure comme de la vieille couenne.

La main en l'air pour un dernier coup,
il dit à son feu :

— Ah tu as fini ?

Il a fini; il en a assez d'être battu. Il
frotte son long poil roux contre le cul du
chaudron.

Le vent, d'un coup, ronfle plus fort que
le feu et le soleil se lève.

Du village, descend un long sifflement de
berger. C'est dirigé comme une flèche sur
la maison de Panturle, ce sifflement; ça se
sent; ça traverse juste les murs; ça vient
tinter sur le chaudron au feu.

Panturle quitte la branche avec laquelle
il tournait sa soupe. Il met sous sa langue
ses deux gros doigts et il répond à rougir

comme une pomme d'amour, d'un même sifflement qui monte.

C'est l'us. Il sait que Gaubert s'est avancé jusqu'à la placette de l'église et qu'il lui a, comme ça, souhaité le bonjour à sa manière, avec sa vieille langue et ses vieux doigts.

Seulement, ce matin; c'est plus tôt que d'habitude et ça à l'air de vouloir dire :

— Viens.

Ça ne doit pas être pour du mal, je ne crois pas; ça à l'air d'être encore un sifflet bien sain; puis, ça n'a pas dit, pressé : « Viens, vite, vite, vite. »

Non, ça a dit : « Viens », tout simplement, pas plus, comme par exemple : « Viens, viens voir, viens un peu. »

On va y aller.

Avant, il donne à la bique. Elle est libre et toute seule dans la grande écurie noire et elle saute tout de suite vers la porte ouverte. Il la regarde manger. Comme elle s'amuse du nez dans les branches, il lui touche la tête :

— Allez, viens; on monte à Gaubert.

Quand on touche ce bord d'Aubignane qui pend au-dessus du vallon, à main droite, c'est tout de suite la maison de la Mamèche. Ça n'est pas sa propriété, bien sûr, mais personne ne viendra réclamer; elle n'a eu qu'à choisir dans le tas une maison pas trop démolie avec, autant que possible, un peu de toiture.

Panturle fait un petit détour pour venir pousser la porte.

— Tiens Mamèche, voilà Caroline. Prends le lait.

Comme la chèvre, sur le seuil, tremble de la voix et du poil, la Piémontaise l'appelle :

— Cabro, cabro.

La chèvre répond et elle entre.

Devant la forge Gaubert attend.

— Tu as mis la belle veste, demande Panturle.

C'est vrai, il a mis la belle veste, et le beau chapeau, et le beau pantalon de velours.

— Je pars, dit Gaubert doucement.

Une grosse malle à ferrures écrase l'herbe de la rue.

— Je pars. L'enfant me l'a fait dire

hier, sur le soir, par le berger des Pampon-
nets. Il dit qu'il a peur de cet hiver pour
moi, tout seul. Il dit que je serai mieux
là-bas. Il dit qu'on m'a fait la chambre à
côté de la cuisine pour la chaleur du poêle.
Il dit que la Belline et les petits, ça me fera
un peu de plaisir, que la Belline me soignera
bien. J'ai quatre-vingts !

Panturle regarde le Gaubert tout bien
astiqué et la malle parée; et, dans le milieu
noir de la forge, un gros paquet tout cornu
dans un drap noué.

— L'enfant m'a fait dire qu'il viendrait
avec le cheval jusqu'à la Font-de-Reine-
Porque; après, ça ne peut plus; il paraît
que notre chemin s'est tout écrasé au fond
du ravin.

— Moi, je passe à pied, dit Panturle,
c'est tout juste.

— Alors je t'ai sifflé pour ça.

Il montre ses paquets.

— La grosse boîte, c'est pas la peine
d'essayer; ça ne passera pas. Tu y tiens ?

— Non, c'est des choses du temps de la
femme.

— Et ça, là-bas ?

— Ah ! mon pauvre... ça, viens voir.

Dans la forge, le père Gaubert dénoue le paquet. Ses mains tremblent. Là, couchée dans le drap : son enclume...

— Ça, je voudrais le sortir pourtant.

Panturle comprend. C'est des choses qu'on comprend, ça.

— On va essayer. Le Joseph t'attend quand ?

— Il m'a fait dire qu'il partirait de la maison au soleil pointé.

— T'es tout prêt ?

— Oui.

— Tu languissais ?...

Panturle a dit : « Tu languissais » sans faire le mauvais, au hasard du parler, sans méchanceté pour Gaubert, et, Gaubert muet baisse la tête.

Ça a été dur, surtout sous le bois de Bergerie. Il n'y avait plus de chemin. Il a d'abord monté le père Gaubert en lui donnant la main, puis il est redescendu chercher l'enclume.

Gaubert regardait d'en haut et il lui disait :

— Là, prends-toi au thym, là, à droite;

mets ton pied sur la pierre, là à gauche. Ne
prends pas cette herbe, c'est mort. Allez.
Ah, mon pauvre !

Panturle soufflait dans l'éboulis avec
l'enclume sur le gras de l'épaule et de temps
en temps il lâchait un : « Dieu de Dieu »
qui le poussait tout seul pendant un mètre.

Quand il a été sur le haut, il a jeté l'enclume dans les feuilles mortes, il s'est rempli à l'aise d'air froid, il s'est frotté l'œil
piqué de sueur et il s'est mis à rire.

« On l'a eue, quand même cette garce ! »
Gaubert aussi s'est mis à rire, ça lui fait
chaud au cœur de voir qu'on a passé le
plus mauvais; il a entr'ouvert le paquet
pour regarder l'outil qui est là, tout insensible.

— Elle ne s'en doute pas qu'elle donne
tant de peine.

Puis Panturle à recommencé à suivre son
idée :

— Alors, comme ça, l'enfant te réclame?
C'est parce que des fois tu t'es plaint ?
Tu pourras t'habituer loin d'Aubignane ?
Tu étais né à Aubignane, toi ? C'est peut-
être qu'il a besoin de toi, là-bas ? Alors,

tu seras près de la cuisine ? Qui sait si ça fera bien l'affaire de la Belline.

Et Gaubert répond « oui » ou « non » de la tête sans parler.

On ne voit plus le village. On ne voit qu'une épaule de colline toute velue et le vent en rebrousse les poils.

Quand Joseph les a vus arriver il a crié :

— Eh, là-bas, dépêchez-vous.

Parce qu'il fait froid dans les parages de Reine-Porque.

— Voilà, a fait Panturle, en déchargeant l'enclume.

— Qu'est-ce que c'est, a demandé le Joseph ? Et il a regardé dans le paquet. Les hommes d'âge, parfois, ça a des cachettes où ça met des sous et on a connu qui en avaient des dix kilos comme ça. Quand il a vu que c'était l'enclume, il a dit à son père :

— Tu es fou, père !

C'est Panturle qui a répondu :

— Non, laisse-le. Tu ne sais pas, toi.

Quand le père Gaubert a été installé sur la carriole, le Panturle a placé l'enclume en-

tre les jambes du vieux; Gaubert a dit
merci, l'enfant a fouetté et ils sont partis :

Le Panturle les regarde : Gaubert a posé
ses mains sur l'enclume. Elle est là; entre
ses jambes, il la caresse, il est heureux.
Ça lui aurait fait pire que la mort de la
laisser.

A la font-de-la-Reine-Porque, le bassin
de la fontaine est déjà gelé. C'est une fontaine perdue et malheureuse. Elle n'est
pas protégée. On l'a laissée comme ça, en
pleins champs découverts; elle est faite
d'un tuyau de canne, d'un corps de peuplier creux. Elle est là toute seule. L'été,
le soleil qui boit comme un âne, sèche son
bassin en trois coups de museau; le vent
se lave les pieds sous le canon et gaspille
toute l'eau dans la poussière. L'hiver, elle
gèle jusqu'au cœur. Elle n'a pas de chance;
comme toute cette terre.

Au fond de l'air, on entend encore un
« hu » et un fouet qui claque. La voiture du
Joseph est déjà à la montée des terres noires.
Puis, ils ont dû dépasser le col et l'on n'entend plus rien.

D'un coup, Panturle se sent gelé jusqu'au
fond des os. Il se met à courir vers le village. Il crie en courant :

— Han, han...

Ça tient compagnie.

— Oh Mamèche !

— Oh fils !

La voix de la Mamèche, c'est grave et
dur, ça vient de profond.

— C'est fait à Caroline ?

— C'est fait; ça bout et ça t'attend si
tu entres.

— « La Saluta », dit le Panturle en pous-
sant la porte.

Les dalles sont couvertes d'un jour qui
est là, épais comme de la paille d'étable et
qui ne monte pas vers le plafond parce que
les hauts carreaux de la fenêtre, on les a
remplacés par des planches. Ce sont de
vieilles fenêtres, et même, pour les deux
carreaux du bas qui sont encore en vitre
il faut se méfier, il y en a un qui commence
à se décoller et on ne peut pas empêcher le
vent de jouer avec. De cette façon, il n'y a

jamais de la lumière que sur la moitié des
gens. Il y a le jour sur la moitié de Mamèche, sur le morceau qui va des pieds nus
jusqu'à la taille.

Là, près de la table, il y a une grande
Sainte-Vierge de plâtre toute éclairée. La
Mamèche l'a prise avec elle depuis que
l'église est quasiment une bauge de loups
avec toutes ces herbes... La vierge s'est
bien habituée; on la dirait chez elle, là,
avec ses pieds nus, son rosaire en noyaux
d'olives, sa robe qui est comme le ciel, de
même couleur et toute raide.

Ce qu'on voit de la Mamèche est pareil,
mais tout noir.

Sur la pierre de l'âtre, il y a trois bols de
lait chaud qui fument.

— C'est plus la peine d'en mettre trois,
dit Panturle qui s'asseoit à côté des bois.

— Comment ? Il est...

— Non, il vient de partir.

Elle a baissé la tête vers Panturle : un
visage maigre et rouillé comme un vieux
fer de hache. Toute la vie est dans le feu
de l'œil.

— Répète un peu.

— Je dis : Il vient de partir.

— Et pour où ?

Là, au soleil, après avoir dit les mots, la lèvre de la Mamèche bouge encore dans sa faim de parler.

— ... chez l'enfant.

— Chez l'enfant ?... chez l'enfant ?...

La Mamèche se redresse : elle marche, un pas, deux, vers la porte. Panturle regarde ce visage là-haut, dans l'ombre et que maintenant on voit un peu avec l'habitude. Les grands ongles des pieds nus grincent sur la pierre comme des griffes de bêtes.

— Ah, Madona ! elle crie soudain avec toute sa gorge qui se serre.

Elle s'est abattue en tas par terre. Elle est là, à se tordre les mains, à balancer sa tête comme dans un vent.

— Madona, Madona ! Alors c'est tous... alors c'est tous... Je suis pas vieille, moi ? Je pars, moi ? J'en ai, moi, de l'enfant ? A quoi il a servi mon homme mort dans votre porc de pays ? A quoi il a servi d'aller vous chercher l'eau. Il est allé vous la chercher avec sa vie. Je pars, moi ? Je suis pas vieille, moi ?

« Ah porca ! »

Elle rafle le bol de lait chaud qui était
là pour Gaubert; elle jette ce lait à la figure
de la vierge. Un voile de vapeur coule sur
les plis droits de la robe bleue puis s'efface.
Le rosaire mouillé brille; la vierge sourit
avec de la crème de lait sur la lèvre.

La Mamèche tend vers elle un poing noir
et moussu comme un coin gelé.

— Porca ! Que toi tu fais tout comme tu
veux; et que tu m'as battue comme le blé,
et que tu m'as séchée comme le blé, et que
tu me manges comme le blé !...

Alors, tu les as laissées pourrir mes
prières ? Tu peux me regarder avec tes
yeux de craie. Je te regarde, moi ? Je te le
dis, moi, là, en face, et qu'est-ce que tu
pourras me faire encore ? Je suis déjà toute
saignée !

— Ecoute, dit Panturle doucement.

— Non ! Enfin, c'est vrai, ça, dis, toi,
Braë ! Tu le sais que mon homme est là
au fond de votre terre, qu'il est allé là-bas
dans le fond vous têter l'eau avec sa bouche
jusqu'à la veine des sources. Pour faire
boire, pour votre soupe. C'est vrai ça, Braë?

Tu crois que moi j'avais pas de tout comme les autres femmes : des mamelles et un ventre, et une bouche avec la langue pour l'embrasser, pour le garder, pour lui faire du plaisir ! Il est en bas, tout mort, avec sa bouche pleine de votre terre !

« Celle-là qui est là à rire, qu'est-ce qu'elle faisait ce jour-là, avec qui elle était couchée encore, ce jour-là ?

« Et à quoi ça a servi, sa mort ? Quand ils l'ont eu fait mourir, ils se sont mis à partir, les uns après les autres, comme des cochons qui vont aux glands.

Et maintenant pour les retenir, qu'est-ce qu'elle fait, celle-là, à rire, là ? Ah, Sainte-Vierge, si c'est pour être sur moi comme un gros pou, à me sucer le sang, c'est bien la peine !...

— Ecoute, dit Panturle doucement, écoute, Mamèche, viens là à côté de moi, viens, on est tous les deux...

La Mamèche se traîne sur les genoux jusque près de Panturle. Elle est là contre; elle s'appuie à l'homme, elle le tâte avec ses grands doigts d'os.

— Ah, Braë, elle soupire, la langue est épaisse !

Ils sont comme ça un long moment sans rien dire.

— Fils, dit la femme.

— La mère ! répond Panturle.

Parce que, tout soudain, dans ce silence qu'ils ont eu, il a pensé à sa mère, morte aussi et mangée par l'osier, en bas...

Contre l'homme, la Mamèche tremble des nerfs comme une chèvre. Elle s'apaise. Elle caresse la grande cuisse solide, et maintenant elle parle une parole douce venue de son cœur doux comme un figue.

— Je pense à l'enfant, à mon petit, mon Rolando, celui qui est aussi sous la racine de l'herbe. C'est pas de la justice, Braë ! Eux, ils les ont encore en chair qui marche et c'est parti pour chercher la bonne place. Moi, tout ce qui me tenait le cœur, c'est devenu l'herbe et l'eau de cette terre et je resterai ici tant que je ne serai pas devenue cette terre, moi aussi.

— Moi aussi, Mamèche, dit Panturle : j'ai la mère...

— Je vais te dire, fils, ce qui me fouille comme une bèche et que j'en souffre le martyre. Tant qu'on est là... mais après ça fera du bois sauvage et ça sera tout effacé.

« Ecoute : dès les premiers temps qu'on était mariés avec l'homme, on était du côté de Pignatello à travailler. J'allais avec lui sur le chemin; on traversait le bois et il y avait des charbonniers. Une fois, on s'est approché d'un endroit où il y avait toujours une meule de charbon qui fumait. C'était rasé tout autour; nous savions que l'homme allait couper le bois et qu'il l'apportait pour le cuire juste à cet endroit-là. On voulait savoir pourquoi. On s'est approché; alors on a vu : il y avait une baraque sous trois arbres; una cosa di niente, de rien, je te dis, grosse comme une noix. Il y avait, là devant, une femme et deux petits vautrés comme des chiennots.

« On a honnêtement demandé et la femme nous a dit. Ça n'était pas toute la famille, ces deux bessons-là, il y en avait un autre dans la terre, bien sage pour toujours avec une barrière de bois autour de

l'endroit où il était. Il y avait aussi dans
la terre le père de la femme, un tout vieux,
et une petite d'une heure, morte pendant
qu'on la faisait.

« Il y avait surtout, Braë, celui qui passait dans la fumée de la charbonnière,
l'homme bien vivant et, dans lui, qui sait
qui sait combien d'enfants nouveaux, prêts
à venir.

« Ça, ça a peut-êre fait un village,
depuis.

« Au lieu d'ici...

— Mamèche, il faut boire, dit Panturle.

Et il prend un bol. Le lait s'est refroidi;
il est comme gelé sous une belle crème
épaisse. Avant de boire, la Mamèche met
son doigt noir dans le lait et elle tire avec
l'ongle un poil de la chèvre.

— Je descends. Où as-tu mis Caroline ?
— Là derrière, dans le pâtis.
— Tu as encore des pommes de terre ?
— Oui.
— Fais que ça te dure jusqu'au beau
froid, puis j'irai voir celui des Bourettes

pour voir s'il veut encore m'en remettre contre un lièvre. Tu as de tout ?

— J'ai de tout, fils. Il va falloir qu'on soit bien serrés tous les deux, maintenant, pour tenir.

De devant la porte, Panturle appelle la chèvre. Elle vient, puis on entend dans le sentier les pierres qui coulent sous le grand pas de Panturle.

Maintenant, la Mamèche est là, seule devant la vierge qui rit sous la crème du lait.

— Bellissima !

Elle a un élan de ses grands bras noirs.

— Mía Bella, celle que j'aime plus que tout, viens que je t'essuie.

Elle a pris la vierge sur ses genoux; elle a déroulé le rosaire, elle en a essuyé les grains l'un après l'autre. Elle crache sur un coin de sa jupe et elle lave la bouche de la vierge.

— Va, ne t'inquiète pas, tu es toujours ma belle.

Puis, elle regarde au fond de l'air quelque chose qui est son souvenir et sa peine.

Panturle revient chez la Mamèche ;
c'est quatre heures. C'est le moment où,
dans cette saison, le soleil accroché à ce
pin, là-haut, résiste encore un peu avant
de tomber de l'autre côté des collines.

Tout le jour, Panturle a porté l'enclume sur ses épaules, une enclume d'air,
imaginée, mais bien plus lourde que la
vraie de ce matin.

Tout le jour !

De temps en temps, il sentait la petite
meurtrissure que l'angle du fer avait
marquée dans son épaule. Il se disait :
« Gaubert est parti. » Au bout d'un moment il comprenait que ce « Gaubert est
parti », ça voulait dire qu'il était seul,
maintenant, à Aubignane, seul avec la
Mamèche qui n'était pas de grosse dis-
traction. Ah, non ! Qu'il n'entendrait plus
battre le cœur du village. L'enclume était
partie. Elle était partie sur la carriole du
Joseph, entre les jambes de Gaubert. Il
n'entendrait plus : pan pan; pan pan;
pan pan; ce qui était le bruit encore un
peu vivant du village. Ce qui venait lui
dire en plein bois : Gaubert s'ennuie;

Gaubert se souvient du temps où il était le maître des charrues.

Et tout le jour il a porté la lourde enclume.

Il la porte encore maintenant en montant chez la Mamèche.

Le dernier doigt du soleil lâche le pin, là-haut. Le soleil tombe derrière les collines. Quelques gouttes de sang éclaboussent le ciel; la nuit les efface avec sa main grise.

Il y a du feu dans l'âtre, mais le vent a embouché la cheminée et il souffle sa musique avec de la fumée, des cendres volantes et en aplatissant la flamme.

Panturle mâche sa chique : une boule de tabac râclé au fond de sa poche, mélangée de brins d'herbe et de poils de bête.

C'est amer.

— ... de dieu, ce temps.

Le vent a commencé sa colère de trois jours.

— Tourne-toi un peu que je te regarde, dit la Mamèche. Mets-toi un peu devant le feu Braë, que je voie...

— Qu'est-ce que tu veux ?

— Mets-toi un peu...

Panturle se courbe pour être bien éclairé. Il entre dans le jour de la flamme.

C'est un homme encore jeune. Il y a du sang dans ses joues; l'œil est vif. Il y a du beau poil sur ses joues : du beau poil bien sain, bien arrosé de sang. Il y a sur les os de la bonne chair épaisse, de la chair de quarante ans, dure et faite à la vie. Il a des mains solides; la force coule comme de l'huile jusqu'au bout de ses doigts.

— Tu m'as vu ?

— Je t'ai vu.

— Alors ?

— Alors, christou, je pense à ce charbonnier...

— Oui, dit Panturle.

Il crache dans les braises, puis il reprend :

— Oui, il faudrait une femme. L'envie m'en prend, quelquefois aux beaux jours. Mais, où elle est, celle-là qui voudrait venir ici ?

— Où elle est ? Elle est partout si tu la forces.

— Ah, tu crois, toi, que ça se fait comme ça ?

— Tu n'es rien alors ?

— Je suis comme les autres, mais je te dis : ça ne se fait pas comme ça. Il faut que ça vienne de plus loin et de longtemps.

— Si je t'en mène une, tu la prends ?

Panturle s'arrête de mâcher sa chique. Il regarde la Mamèche au fond des yeux, pour voir. Il est comme ça tout immobile et tout muet, à chercher... Elle répète :

— Si je t'en mène une, moi, de femme, tu la prends ?

Alors, il opine profondément avec la moitié de son corps et il dit :

— Oui ! je la prends !

L'hiver est dur, cette année, et jamais on n'a vu cette épaisseur de glace au ruisseau; et jamais on n'a senti ce froid, si fort, qu'il est allé geler le vent au fond du ciel. Le pays grelotte dans le silence, La

lande qui s'en va par le dessus du village
est toute étamée de gel. Il n'y a pas un
nuage au ciel. Chaque matin, un soleil
roux monte en silence; en trois pas indif-
férents, il traverse la largeur du ciel et
c'est fini. La nuit entasse ses étoiles
comme du grain.

Panturle a pris sa vraie figure d'hiver.
Le poil de ses joues s'est allongé, s'est
emmêlé comme l'habit des moutons.

C'est un buisson. Avant de commencer
à manger, il écarte les poils autour de sa
bouche. Il est devenu plus méchant aussi.
Il ne parle plus à ses ustensiles. Il a en-
touré ses pieds et ses jambes avec des
étoffes attachées avec des ficelles. Avec
ça, il a chaud, il ne glisse pas, il ne fait
pas de bruit. Il est toujours avec son couteau et ses fils de fer sournois. Il chasse.
Il a besoin de viandes.

La Mamèche aussi fait sa chasse, pour
elle, à sa façon. Elle s'attaque au petit
gibier : au moineaux que le froid rend
familier et qui sont tout ébouriffés comme
des pelotes de laine. Elle fait ce qu'on appelle ici : embaumer du grain. Elle a de

vieux grains d'avoine et les fait bouillir
avec de la rue et des capsules de datura,
puis elle épand son grain devant la porte.
Les moineaux mangent et ils meurent.
Sur place. Avant de les faire cuire, elle
leur ôte le gésier, elle ouvre le gésier avec
de vieux ciseaux et elle fait tomber les
grains dans du papier. Ça sert pour une
autre fois.

Bien entendu Panturle ne l'oublie pas.
Il lui monte de gros morceaux de lièvre
ou bien il lui donne des grives; d'autres
fois des petits lapins entiers. Parce que,
lui, il en a à sa suffisance; il en mange
tant qu'il veut et il en met de côté, à sa
cave, pour les changer, après, contre des
pommes de terre, avec ce vieux fou des
Bourettes.

L'hiver se serre encore et c'est toujours, l'un après l'autre les mêmes jours.

Panturle est au bois des Vincents. Il a
posé des collets à lièvre. Il va voir.

Et il a vu, de loin, la Mamèche. Elle
était sortie, elle aussi; elle était montée
sur la lande. Elle était debout comme un

tronc d'arbre. Il allait appeler quand il
s'est rendu compte qu'elle parlait.

Il a écouté.

Elle disait :

— Il faut que ça vienne de toi d'abord,
si on veut que ça tienne.

Elle parlait à quelque chose, là, devant
elle, et devant elle il n'y avait que la lande
toute malade de mal et de froid.

Une autre fois, c'est encore arrivé,
mais, pas du même côté; comme si elle
faisait le tour des amis pour demander un
service. C'était sur le versant des Res-
plandin au beau milieu des fourrés où
c'est plein d'arbres.

Panturle s'est approché doucement sur
ses pieds entourés d'étoffe. Il s'est approché d'elle comme s'il avait voulu la prendre au lacet. Elle était encore devant ce
morceau de colline toute sale, embousée
de givre et de boue gelée devant les arbres
nus et qui n'en menaient pas large.

Elle disait encore :

— Ne t'inquiète pas; ça me regarde !
j'irai la chercher là où elle est, mais, je te
le dis, il faut que ça vienne d'abord de toi.

Elle le disait bien à tout ça qui était
devant elle parce que, à la fin, elle a bougé
son bras, elle a pointé son doigt vers
l'herbe, l'arbre, la terre.

On est peu à peu arrivé à ce temps où
l'hiver s'amollit comme un fruit malade.
Jusqu'à présent, il était dur et vert et
bien acide, et puis, d'un coup, le voilà
tendre. L'air est presque tiède. Il n'y a
pas encore de vent. Ça fait trois jours
qu'à la barrière de l'horizon, au sud, un
grand nuage est à l'ancre, dansant sur
place.

Et puis, aujourd'hui, il y a eu la pluie.
Elle est venue comme un oiseau, elle
s'est posée, elle est partie; on a vu l'ombre de ses ailes passer sur les collines des
Névières, elle est revenue faire le tour
d'Aubignane, puis elle a pris le vol vers
les plaines. Après ça, on a eu le soleil qui
a chauffé comme une bouche.

Panturle a défait ses houseaux d'étoffe.
Il s'est installé au soleil. Il a allongé ses
pieds nus dans la chaleur et il s'est amu-

sé à agiter ses doigts de pieds. Caroline
toute sotte le regardait.

La Mamèche s'est plantée face au sud
et, pendant un long moment elle a regardé le nuage qui ne bougeait pas. Elle
reniflait de longs morceaux d'air, elle le
goûtait comme on goûte un vin pour
voir s'il est fait, s'il a fini de bouillir, s'il
a de l'alcool. Et puis, voyez : le nuage
montait doucement vers le large du ciel; il
quittait la côte, il partait pour le voyage.
C'est ça qu'elle voulait voir.

Alors elle est rentrée chez elle; elle a
fait bouillir des pommes de terre; elle en
a fait bouillir de vieilles, des grosses, de
toutes. Quand elles ont été cuites, elle
les a alignées sur la table, elle les a encore comptées puis elle s'est mise à cal-
culer sur ses doigts.

— Un jour, deux jours, peut-être
trois, peut-être quatre.

A la fin, elle a dit :

— Ça fait le compte.

Elle a mis les pommes de terre dans
une serviette avec une poignée de gros sel
et elle a attaché le paquet avec une liane

de clématite. Après, elle a enlevé le rosaire du cou de la vierge et elle l'a mis à
son cou. Elle est restée un moment à regarder la vierge. Ses lèvres ne bougeaient
pas.

Alors, le nuage qui partait est passé devant la fenêtre, et il avait bien pris de la
vitesse, et il montait vers le nord.

C'est la nuit de ce jour-là qu'il y a eu
la grande débâcle du ciel. Tout ce que le
froid avait gelé et durci, tout ce qu'il rete-
nait immobile : tout ça, subitement s'est
délivré et a repris la vie. C'est le nuage à
pluie, c'est le vent des quatre coins, c'est
la grande chanson des arbres aux feuilles
sèches, ces chênes têtus qui ont gardé le
pelage de l'an passé et qui parlent, dans
le vent avec la voix du torrent.

Jusqu'au coucher du soleil, ça a marché, puis Panturle a renfermé Caroline
qui avait l'air d'être un peu excitée, puis
il a levé la tête vers le village. Il y avait
là-haut la Mamèche assise sur le rempart
et elle regardait quelque chose au ciel
dans la direction du sud.

Alors, il est venu la nuit, épaisse
comme une soupe de pois. Mais elle était
quand même plus aimable que celle-là qui
semblait du fer à la meule, avec toutes
ses étoiles en bouquet. Elle était plus aimable d'abord parce que plus douce de
chair et plus caressante; et puis, on entendait au travers d'elle la voix du ruisseau, la voix du cyprès et, une fois, quelque chose qu'on aurait dit être le glapis
du renard si on n'avait pas été si tôt d'é-
poque.

Panturle a été vite endormi. Il était las.
Sans savoir pourquoi puisqu'il n'est pas allé
chasser de ces quelques jours. Il n'est pas
las de fatigue, il est las comme si on avait
fait des trous dans ses bras, des trous à
ses jambes et qu'on ait laissé couler sa
force. Oui, et qu'on ait mis à la place de
cette force du lait avec des fleurs de sa-
riette. Du lait. Il sent que ça coule le long
de son corps et ça le chatouille, et ça le fait
rire. Mais, il est las, et il a vite été endormi.

Et il a été tiré de son sommeil — ça
pouvait être la mi-nuit ou plus — par un

grand cri qui est venu le toucher dans l'oreille comme une pierre :

— C'est Mamèche !

Sans voir la porte, en deux sauts, il a été dehors. Il avait encore les yeux collés de sommeil.

C'était bien la Mamèche. Elle était là-haut, sur le rempart avec du feu dans la main. Elle hausait la main et le feu. On la voyait tout entière. Elle avait mis sur la tête son fichu noir. La fumée du feu montait vers le nord.

— Que tu as ? crie Panturle de toutes ses forces.

— Rien.

— Malade ?

— Non.

— Alors ?...

Un moment sans répondre; on dirait qu'elle prend des forces pour bien crier, bien dire.

— Elle montre le sud avec son flambeau :

— Ça vient, ça vient !

Elle n'est pas un peu folle ? se demande Panturle.

Quand même il se retourne vers le sud, lui aussi. Ça a changé depuis la tombée du jour : une force souple et parfumée court dans la nuit. On dirait une jeune bête bien reposée. C'est tiède comme la vie sous le poil des bêtes, ça sent amer. Il renifle. Un peu comme l'aubépine. Ça vient du sud par bonds et on entend toute la terre qui en parle.

Le vent du printemps !

Au matin, Panturle a ouvert sa porte sur le monde délivré. C'est la vie, c'est la belle vie avec des gestes et des courses. Tout le bois, les bras en l'air, danse sur place une grande danse énervée. De larges navires d'ombre naviguent sur les collines. Le vol des nuages s'élance d'une rive du ciel à l'autre. Il passe dans le vent un corbeau tout éperdu, roulé comme une feuille morte.

Il a détaché Caroline. Ah ! tout de suite, ça a semblé un jet de l'eau ! Elle est partie en sautant; on aurait dit une vague de poils au-dessus de l'herbe. Elle est allé se planter des quatre pattes devant le cy-

près; elle l'a menacé un moment des cornes, puis elle est partie brusquement en
sens inverse et l'herbe sifflait contre ses
jambes.

— C'est peut-être ça qu'elle voulait
dire, la Mamèche. Et alors, qu'est-ce que
ça peut faire ? C'est le printemps, oui ça
se voit.

Quand même il monte pour se rendre
compte.

Il n'y a personne chez la Mamèche. La
chambre est vide. Le matelas est roulé. On
a rangé la table et les chaises contre le
mur comme si on était parti pour longtemps. Et sur la table on a posé un drap
tout neuf, plié dans ses huit plis... posé là,
bien en évidence. Un drap que Panturle
connaît bien, le drap que toutes les vieilles
femmes conservent neuf au fond de l'armoire parce qu'il est entendu que c'est
dans celui-là qu'on les pliera, à la fin...

Panturle revient au seuil et crie :

— Oh ! Mamèche !

Comme ça jusqu'à midi il a cherché
dans tout le village, et il est entré dans

toutes les maisons, et il est allé voir dans
les décombres de tous les murs tombés du
dernier vent.

— Mamèche, oh Mamèche !

Puis il est revenu à la maison toujours
vide, et le drap neuf sur la table.

Alors il se dit :

— Je vais aller voir sur le plateau.

Sur le plateau, on n'y va pas souvent et
jamais volontiers. C'est une étendue toute
plate à perte de vue. C'est de l'herbe, et
de l'herbe, et de l'herbe, sans un arbre.
C'est plat. Quand on est debout, là-dessus
et qu'on marche, on est seul à dépasser les
herbes. Ça fait une drôle d'impression. Il
semble qu'on est toujours désigné pour
quelque chose. Ça commence aux dernières
maisons du haut d'Aubignane et ça s'en va.
En réalité, ça s'en va jusqu'à Blaine, à
quarante-deux kilomètres en tirant droit
mais on n'est pas forcé de le savoir et, ce
que ça montre d'habitude, ça n'indique
pas que ça s'en aille vers une chose hu-
maine. Ça montre au loin, là-bas, une bar-

rière grise faite de la poussière qui marche
devant le vent.

Il n'y a rien sur le plateau : le vent
seul... Et comme vent, celui qui s'est an-
noncé la nuit passée : ce vent-chèvre, le
printemps. Le voilà là-haut. Le voilà là-
bas avec sa poussière; le voilà ici maintenant; le voilà là-bas, sur l'herbe; il est
partout.

— Mamèche, Mamèche !

Rien. Le vent vient voir ce que c'est,
puis repart.

Et maintenant, Panturle a la gorge
raide d'avoir tant crié.

— Qu'est-ce qu'elle a eu comme ça,
cette femme ? Qui aurait dit ça qu'elle
parte aussi, celle-là ?

Il est revenu au village. C'est le soir. A la
maison de la Mamèche le peu de jour qui
reste éclaire le drap blanc sur la table.
Panturle a tiré la porte, puis il est venu au
rempart et il a bien regardé tout le pays
jusqu'au fin fond; le troupeau des collines,

la longue ligne grise et plate qui est le rebord du pateau; son œil est allé au bout de
la droite et au bout de la gauche.

Derrière lui, il y a Aubignane vide.

Il a bien regardé le pays jusqu'au fin
fond et il a dit à haute voix :

— Voilà. Maintenant je suis seul.

III

Gédémus le rémouleur sort du bureau de tabac de Sault. Il vient d'acheter six paquets de gris. Il les tient contre sa poitrine pendant qu'il ferme la porte.

— Tu as peur que ça augmente, crie Reboulin de l'autre côté de la rue, tu fais provision ?

— Monstre, dit Gédémus, toi, quand tu veux fumer, tu fais trois pas et tu es au bureau, moi je pars demain. Tu as pas vu que c'était le printemps ? De quatre jours je ne vois plus le marchand de tabac.

Il place les paquets de tabac dans les poches. Il en garde un à la main; il l'ouvre et commence une cigarette en traversant la rue.

— Tiens, donne un peu, dit Reboulin, j'ai laissé le mien sur la cheminée.

— Va doucement, il faut que ça me fasse huit jours.

— Tu mets huit jours pour traverser ?

— Tu es fou; je mets quatre jours. Seulement, quand tu es de l'autre côté, ça n'est pas encore le bureau de tabac, tu sais.

— Alors, tu couches sur le plateau ?

— Oui.

— Ça ne te fais rien ?

— Non.

— C'est vrai que ta voiture est pleine de couteaux qui coupent; qu'est-ce que tu risques ?

— Oh, ça n'est pas ça qui empêcherait, mais c'est mon chemin. Que ça soit d'un gros plaisir, non, mais je n'ai jamais eu bien peur. Le tout, c'est de bien connaître la direction et d'avoir de bonnes étapes. D'ici, je vais jusqu'à la Trinité; je couche là dans une grange qui tient le coup. Le lendemain je vais jusqu'à la bergerie du corbeau. De la bergerie, là, c'est plus difficile, c'est tout effacé et il faut connaître, et il faut bien avoir sa tête. Après, je prends à droite, deux, trois heures, et je tombe sur le mas Gallibert.

— Tu mènes Arsule ?

— Tu veux que je la laisse ?

— Non, mais c'est pour dire. Tu es un bandit, Gédémus; tu ne peux plus vivre sans cette femme.

— Ah ! tu te fais des idées. A mon âge... ça te passera avant que ça me revienne. Tu ne vois pas que je lui fais traîner la voiture ?

Arsule ?

Ah, c'est tout une histoire !

Arsule, elle s'est d'abord appelée « Mademoiselle Irène » et même : « Mademoiselle Irène des grands théâtres de Paris et de l'Univers. » Ça, vous comprenez bien, c'étaient des mensonges. Pourtant, c'était écrit sur une affiche faite à la main et collée sur la vitre du « Café des Deux-Mondes ».

En réalité, c'était arrivé par la route de Montbrun, derrière une carriole bachée de vieux draps sales. Un homme qui semblait un assassin menait la mule par la figure. Celui-là, il était inscrit sur l'affiche pour être : « L'illustre Tony dans son réper-

toire. » Pour le moment, son répertoire
c'étaient toutes les saloperies qu'il criait
à son carcan de mule butée des quatre fers
contre l'ombre du lavoir.

Mademoiselle Irène était derrière la voiture. Elle était bien fatiguée d'avoir fait
la route à pied avec de vieilles bottines
d'hommes à boutons trop grandes pour son
pied et elle se faisait traîner en se tenant
à la corde du frein. Elle était enfarinée de
poussière jusqu'à la taille.

Au « Café des Deux-Mondes » on avait
fait une estrade avec six tables de marbre
là-bas, dans le coin où était le vieux billard
qu'on a brûlé. Le soir, ça s'est rempli de
monde. Il y en avait jusque dans la cuisine. La mère Alloison ne savait plus où
donner de la tête. Tout le monde tapait :
« Un café, un café. » Et elle, elle était là à
dire : « Levez-vous un peu que j'attrape
ma débéloire. »

Ah ! oui, on riait et c'était pareil; ils
pouvaient taper les autres. Enfin, ça s'est
un peu arrangé; tout le monde y a mis du
sien et quand ça a été à peu près calme
Mademoiselle Irène est montée sur l'es-

trade. Elle avait de pauvres mains d'éplu-
cheuse de pommes de terre. Elle avait des
yeux, on ne savait pas dire, ça vous faisait
peine, tenez. Elle était là, toute fatiguée
de mille choses. Elle était là pour chanter
et elle se souvenait avec douleur de la longue
route et de mille choses, je vous dis, bien
plus pénibles encore que la route, pour une
femme. Elle était là.

Ça a fait rire.

Et elle n'a plus su que dire.

Ça a fini par une bataille. Le « Tony
dans son répertoire » voulait lui casser une
bouteille sur la figure et ça, on ne l'aurait
pas permis. Ça a fini par un bonne bataille.
Il y a eu des cris de femmes et des verres
cassés. Mais, pas trop de mal pour ceux de
Sault parce qu'ils tapaient tous ensemble
sur le Tony. Le fils de la Marguerite se
foula juste un peu le poignet parce que,
son coup de poing, c'est le marbre du
comptoir qui le reçut.

Très bien. Mais le lendemain, la femme
n'ose pas partir avec le Tony et elle reste
là, chez nous, assise près de la fontaine,
toute seule, toute sale de larmes. Elle ne

pleurait plus et on ne pouvait pas savoir si
elle pensait à quelque chose ou à rien. Elle
regardait l'eau qui coulait de la fontaine.

C'était à l'époque de la lavande. A midi, il arrive toute l'équipe de Garino, le
lavandier. Ils revenaient de la colline pour
faire la sieste des grandes chaleurs. Quand
ils ont vu la femme, ça a fait leur affaire.
ils se sont mis autour d'elle, et de lui dire
ci, et de lui dire ça, jusqu'au moment où
il y en a un qui a dit : « Viens, on va te
faire manger. » Alors, elle a levé son œil
vide sur celui-là et elle s'est dressée. Et,
au lieu de lui donner à manger, ils l'ont
fait boire comme un plan de courge, puis
ils s'en sont servis. Ils l'avaient menée
dans l'écurie de Martel et ils étaient tous
devant la porte à rire pendant que un était
dedans avec la femme. Puis, celui-là sortait. Il était rouge. Il se mettait à rire encore plus fort que les autres, on voyait bien
qu'il se forçait pour ça. Et un autre entrait. Et comme ça.

C'est la grosse Marie Guindon qui la
leur a enlevée des mains. Elle les a tous
pris l'un après l'autre. Et elle avait mis

ses poings sur les hanches, et elle leur disait leur quatre vérités :

— Ah, c'est beau ce que vous faites. Ah, vous avez bon air. Tenez, regardez-le celui-là, on le prendrait sous le chapeau maintenant. Il y en a pas un qui osera venir me toucher, moi. Je me gênerais, moi, pour vous donner des gifles !

Puis elle est allé chercher Mademoiselle Irène. La pauvre était molle comme une corde et pleine de paille, et elle lui a dit :

— Entrez dans la cuisine, petite; levez-vous de devant.

De ça, il y a bien cinq ans.

Dans le village, on l'a appelée Arsule. C'est plus facile à dire qu'Irène, et puis Irène c'est un nom de la ville, et puis c'est un mensonge. Arsule, c'est un nom qui est d'ici. Depuis ce temps, elle reste avec Gédémus. Elle lui fait la soupe.

Et tout.

La route monte accompagnée par les deux files de platanes. Les maisons ne vont pas plus loin que le détour. Là, elles disent

« au revoir » et elles restent assises au bord
des près; elles regardent la route qui part
vers le large des terres. Les platanes vont
encore un peu jusqu'au milieu de la côte,
mais, là, ils s'arrêtent aussi. Alors, la petite route s'en va toute seule. D'un bon
coup de rein, elle saute le mamelon et,
adieu, elle est partie.

Tant qu'on est à l'ombre, ça va, mais
dès qu'on arrive dans le soleil, Arsule sait
que Gérémus va quitter la bricole et dire :

— Tiens, prends un peu. Je vais rouler
une cigarette.

Elle prend un peu. A partir de là, elle
prend la bricole pour tout le temps que le
travail durera. Lui, il l'aidera quelquefois
dans les grosses montées. Puis, en octobre,
au retour, quand on arrivera devant le premier platane, devant l'ombre, devant la
descente, à dix minutes de la maison, Gédémus dira :

— Allons, donne un peu.

Et il reprendra la bricole.

Et tout cela, Arsule le sait. Par cœur.
Et aussi le poids de la voiturette. Il y a
d'abord, il y a surtout la machine à ai-

guiser avec sa lourde meule, en grosse
pierre épaisse et ses solides montants de
bois qui ne doivent pas trembler quand Gédémus pédale et que la pierre tourne. Ça
pèse. Mais, ça, c'est obligé. On porte aussi
une grosse pèlerine, et puis de quoi manger jusqu'à la première ferme. Autrement
dit, du manger pour quatre jours. Ça n'est
pas ça qui est lourd.

Enfin, on traîne... Et puis, l'habitude,
ça fait beaucoup dans ce travail-là.

Les pauvres champs domestiques qui
n'ont qu'un tendre pelage de salades, d'é-
pinards ou de poireaux se tirent doucement
en arrière. Ils sont en bas, tous serrés les
uns dans les autres, à l'abri du village, il
y en a même qui se glissent entre les
maisons.

Comme on arrive sur le dos du mamelon, on entend le ronron sauvage des genévriers. C'est là-bas, de l'autre côté d'un
petit val. La terre est nue. Il n'y a, au
fond de ce pli, qu'un vieux peuplier. On
remonte de l'autre côté sur un sentier qu'il
a fallu tailler à la barre à mine. Plus

d'herbes, seules, quelques touffes de thym,
un plan de sauge et son abeille; la roche
gronde sous les pieds. On monte, on
tourne, plus de village, plus de peupliers.
Encore dix pas qui comptent, dix pas où
tout est utile, l'épaule qui pèse en avant,
la cuisse qui pousse, le pied qui fait ressort, la tête qui commande : encore un, encore un... Gédémus est aussi attelé à la
charrette. Dix pas, et puis, pour revenir,
c'est trop tard : les grands genévriers bou-
chent la route, derrière. On est en plein
dans la terre libre. C'est le plateau : voilà
le plateau !

Plat comme une aire c'est la prairie des
nuages. Le sentier n'est plus qu'un petit
ru sec jusqu'à l'os.

C'est au ras des yeux comme une grande
mer toute sombre avec une houle de genévriers. Des genévriers, des genévriers. De
larges corbeaux muets jaillissent de l'herbe
et le vent les emporte.

Gédémus et Arsule s'en vont seuls. Le
vent souffle à travers les montants de bois
de la machine à aiguiser comme à travers
la mâture d'une barque.

— On ne s'est pas trompé ?

— Non, marche; ça va.

— Ça, là-bas, qu'est-ce que c'est ?

— Rien, un arbre, un arbre mort.

— Tu es sûr ?

— Eh ! oui, marche. Chaque fois qu'on est ici, tu as peur. Qu'est-ce que tu crois que c'est ? C'est un arbre, pas plus. Marche, je te dis.

Et, tout d'un coup, on se dégage de cette mer de genévriers. Dès l'orée du bois c'est la grande solitude de l'herbe. Un nuage s'est posé sur l'herbe, là-bas, au fond. Il monte. On commence à voir un petit liséré de ciel entre l'herbe et lui. Et comme ça tout bas qu'il est, il avance. A dix mètres là-haut il passe, insensible et puissant.

L'ombre marche sur la terre comme une bête; l'herbe s'aplatit, les sablonnières fument. L'ombre marche sur des pattes souples comme une bête. La voilà froide et lourde sur les épaules. Pas de bruit. Elle va son voyage. Elle passe. Voilà.

— N'aie pas peur, je te dis !

— Et ça, là-bas, qu'est-ce que c'est ?

— Où ?

4

— Çà, là-bas, droit dans l'herbe et tout
noir, avec des bras, on dirait ?

— Ça, c'est encore un arbre. Attends
un peu. Je me demande si on ne s'est pas
trompé. Il n'y a pas tant d'arbre que ça de
ce côté. C'est bien un arbre mort pourtant.
Qu'est-ce que ça pourrait être autrement ?
Et on est bien dans la direction. Voilà, à
notre droite, les sables de Chenerilles et, à
notre gauche, là-bas, tu vois, le long dos
de Lure et, devant nous, le pas de Pille-
Chacun. C'est ça. Marche, c'est encore un
arbre. Tu fais attention à tout aussi !

Maintenant, ils sont dans le plein large.
Le plein large; il n'y a plus rien. Les bords
transparents du ciel s'appuient de tous les
côtés dans l'herbe.

Vers midi, on s'arrête pour casser la
croûte. Arsule sort son épaule de la bricole
de cuir et elle fait aller deux ou trois fois
son bras pour le dégourdir. Gédémus re-
connaît l'endroit. Il est content.

— C'est la bonne route. Je reconnais ça
comme une figure d'homme.

Puis il dit, soulagé :

— Ah ! on a un peu la paix. J'en ai la tête pleine, à la fin, de ce vent.

On tire la petite caisse qui est sous la meule. Et c'est d'abord une miche trapue comme un cochon de lait; c'est du saucisson; c'est un gros morceau de jambon avec un papier fou collé dessus le vif de la tranche. Il y a aussi deux boîtes de sardines. Il y a trois grosses têtes d'ail et c'est par là que Gédémus commence.

Ils sont assis dans l'herbe haute. Le vent prend élan et les saute. Ils sont au calme. C'est bon. Sur ce plateau si plat, si large, si bien tendu au soleil et le vent on n'est à son aise qu'assis. La chaleur de la terre monte dans les reins; les herbes sont là tout autour comme une peau de mouton qui tient chaud et qui cache. Quand on marche c'est le contraire : on a l'air d'être nu, tout faible; sur cette grande étendue plate il semble que partout des yeux vous regardent, des choses vous guettent. Là, on est à son aise. On peut penser à autre chose; on n'est pas toujours obligé

de penser à cette terre plate et au vent qu'y
s'y aiguise dessus.

Arsule mange aussi de l'ail. Sa tête dépasse les herbes; elle regarde le grand plateau qui est sous le ciel comme un autre
ciel renversé. Elle regarde, au delà, une
montagne qui est bleue comme de l'eau
profonde, les herbes qui vont au galop on
ne sait où. Elle regarde et, tout d'un coup,
elle fait : oh ! oh ! deux fois et elle reste
comme ça, la bouche ouverte avec du pain
et de l'ail plein la lèvre.

— Quoi ?

Les yeux d'Arsule sont grands et
blancs :

— Là !

Et elle dresse un peu son doigt.

— Eh bien ! quoi, là !

— Ça a fait : hop ! ça a monté au-
dessus de l'herbe un moment, puis, hop,
ça s'est baissé.

— Quoi ça a fait hop, quoi ?

Gédémus reste avec du saucisson à la
main.

— L'arbre !

— L'arbre ? Tu es un peu malade ?

— Oui, l'arbre. Ce qu'on voit depuis ce matin. Cette chose noire avec tantôt une branche de ce côté, tantôt une branche de là. Cette chose que je t'ai dit trois ou quatre fois : « Qu'est-ce que c'est ? » et que tu as dit : « C'est un arbre, marche. » C'est là encore. Ça a fait : hop !

— C'est dans ton œil, bestiasse; comment veux-tu qu'un arbre ça fasse : hop !

— Ça l'a fait; c'est peut-être pas un arbre ?

— Et qu'est-ce que tu veux que ça soit ici dessus ?

— Je sais pas, moi, mais, ça a fait : hop, c'est sûr; c'est pas dans mon œil, j'ai bien vu.

— Ne commence pas avec tes histoires.

Arsule se tait mais elle ne mange plus. Elle a toujours ses grands yeux de pâquerette. Gédémus mange encore un peu, il la regarde en dessous et, comme il voit qu'elle ne bouge pas, il dit :

— Attends, je vais voir... Et il se dresse.

Il fait quelques pas dans l'herbe mais il se retourne et il dit :

— Tu ferais bien de me donner le couteau.

Il s'en va alors avec le couteau tout nu à la main. Il marche doucement en regardant de chaque côté comme s'il avait peur de mettre le pied sur un serpent.

Arsule se fait petite dans son nid d'herbe.

Elle lui crie :

— C'est là-bas.

Et elle lui montre l'endroit juste.

Il va à cet endroit juste :

— Si c'est là tu as rêvé; il n'y a rien.

Il revient. On dirait qu'il a du souci. De temps en temps il regarde derrière lui.

Il quitte le couteau dans la boîte.

— Il n'y a rien; pourtant, si tu te sens mal ici, partons, on finira de manger en route et on mangera encore mieux ce soir à la Trinité.

Sitôt debout et le pied dans la piste, il a fallu compter avec le vent. Il venait bien en face et il leur a plaqué sa grande main

tiède sur la bouche; comme pour les empêcher de respirer. Ils ont l'habitude; ils ont
un peu tourné la figure pour boire l'air sur
le côté comme les nageurs et, de cette façon, ils ont pu aller assez loin. C'est pénible mais ça va. Alors, le vent s'est mis
à leur gratter les yeux avec ses ongles. Puis
il a essayé de les déshabiller; il a presque
enlevé la veste à Gédémus. Arsule tire la
bricole et, pour ça, elle s'est penchée en
avant. Le vent entre dans son corsage
comme chez lui. Il lui coule entre les seins,
il lui descend sur le ventre comme une
main; il lui coule entre les cuisses; il lui
baigne toutes les cuisses, il la rafraîchit
comme un bain. Elle a les reins et les hanches mouillés de vent. Elle le sent sur
elle, frais, oui, mais tiède aussi et comme
plein de fleurs, et tout en chatouilles,
comme si on la fouettait avec des poignées
de foin; ce qui se fait pour les fenaisons,
et ça agace les femmes, oh ! oui, et les
hommes le savent bien.

Et tout d'un coup, elle se met à penser
aux hommes. C'est ce vent aussi qui fait
l'homme, depuis un moment.

Gédémus monte en deux sauts jusqu'à
la hauteur d'Arsule :

— Tu n'as plus rien vu ?

Il est inquiet, on dirait.

Arsule tourne vers lui un œil tendre et
caressant :

— Non, plus rien.

Son corps est en travail comme du vin
nouveau.

Tout par un coup, il est venu la lourde
trêve du crépuscule; il n'y a plus de vent
et il y a un grand silence craquant comme
une pastèque.

Vers leurs pas la nuit s'avance; elle
pousse devant elle les débris de La Trinité.
On va y être.

La Trinité, c'était, dans le temps, un
hameau tout ramassé au milieu du plateau,
une dizaine de maisons serrées les unes
contre les autres. Elles se tenaient dos contre dos, elles montraient à la terre les
grands porches ouverts des granges et les
dents des herses. Elles se défendaient
bien. Mais, à cet endroit-là, le plateau
commence à être quelque chose de pas ordi-

naire. A perte de vue, immense et nu, et
tellement, tellement plat à donner le mal
au cœur, qu'il vous prend soudain le besoin de voir une chose qui monte en l'air.
C'est comme un sommeil. Ça vous tient
dans la tête et ça serre tout l'entour des
yeux; à la fin, on n'y tient plus; on jette
les pierres en l'air, rien que pour les voir
monter.

C'est presque au milieu d'un tas de décombres que Gédémus a découvert une
grangette encore tiède. C'est là qu'on
passe la première nuit. Il faut enjam-
ber des débris de murs et écarter les
branches des figuiers fous et, ces branches,
maintenant nues et tordues, et fraîches de
nuit, quand on les touche, on dirait des
serpents.

La grangette est au milieu de ce nid de
figuiers. On dirait une cave parce que la
maison de derrière s'est écroulée et a bouché les fenêtres, parce que la maison de
devant s'est écroulée aussi et a à moitié
bouché la porte et qu'il faut entrer en se
baissant et descendre. Une fois dedans,

c'est très bien. On pousse la machine à
aiguiser dans le fond.

— Ah ! dit Gédémus en soupirant, nous
voilà arrivés. C'est pas malheureux. On a
beau dire et beau faire, il y a un bout de
chemin de Sault ici, et puis, marcher sur
le plateau c'est pas comme si on marchait
sur une route, eh, Arsule ?

Arsule a tout le bras droit comme mort.
Elle touche son épaule où la bricole a fait
une marque qui se sent sous le corsage. Ça
fait mal. Il n'y a plus le vent pour la ca-
resser, elle est fatiguée. Quand même, elle
pense encore à l'homme. Il semble qu'il y
a encore les doigts du vent sur elle, cette
grande main du vent plaquée à nue sur sa
chair.

— Regarde au fond de la caisse, je crois
que j'ai mis des bougies.

Il n'y a plus qu'un petit carré de jour
sale tendu devant la porte. Il reste encore
un vantail de bois qu'on peut fermer en
faisant attention aux vieux gonds. Ce
qu'on pousse dehors, comme ça, c'est un
ciel sale et gris, tout troublé de nuit; on

est enfin à l'abri. La lumière de la bougie
est là comme un fruit roux sur la paille.

— Ecoute, dit Gédémus, on a bien marché aujourd'hui, et puis ce vent nous a
battus; on va ouvrir une boîte de sardines.
Tant pis, on fait la fête. Et puis, on va
boire un bon coup. Ce midi, on est parti de
là-bas comme si on avait le feu aux cu-
lottes. Donne la gourde, celle du vin.

Il y a deux gourdes qui tiennent chacune
dans les deux litres. Dans une, il y a le
vin; dans l'autre il y a de l'eau. Il est bien
entendu que c'est pour mélanger.

— Bois-en du pur, toi aussi, va Arsule,
et donne la boîte de sardines.

En ouvrant la boîte, l'huile coule sur les
doigts de Gédémus. Il les lèche.

— C'est des fameuses !

Arsule a préparé deux tartines de pain.
C'est à ce moment-là que c'est venu. Ils ne
parlaient déjà plus. Ils mangeaient; ils re-
gadaient la flamme de la bougie et ils pen-
saient chacun à leur chose, et, pendant un
bon moment, ils se sont dit : c'est le vent
qui est revenu, puis ils sont restés encore

comme ce tantôt, la bouche pleine, à écouter.

Et il n'y avait rien à écouter.

Alors, ils se sont remis à manger; le regard de Gédémus a quitté la bougie et il est allé à la porte. Autour du vantail il n'y avait plus le cadre du jour gris. La nuit pesait de l'épaule contre la porte.

— Ça va, a demandé Gédémus ?

— Oui, a dit Arsule.

Après ça, il y a eu un long moment de calme. Ça leur avait fait du bien de dire deux mots. Puis, à force de durer, ce calme a été bien plus désagréable que le reste et ils se sont remis à parler.

— Tu veux qu'on ouvre encore une boîte de sardines, Arsule ?

— On n'en a que deux, tu sais, et ça fait à peine le premier jour.

C'est vrai : il semble qu'ils sont sur le plateau depuis longtemps, longtemps. Ce qui était avant est devenu si petit.

— Tu sais à quoi je pense, Arsule ? Je pense que, dans la vie, on est tout le temps trop bête. Quand on a de bonnes choses, on est toujours là à les garder pour le len-

demain. Pour ce qu'on est sur la terre ! Je
ne dis pas ça pour les sardines. Là, ça va
bien; on les mangera demain. Demain,
c'est pas loin. Quoique d'ici là, il y a mille
fois le temps de... Je dis pas ça pour nous.
C'est le parlé qui fait le parlé. Mais crois-
moi, la moitié du temps on est des ânes.
Une fois c'est une chose, une fois c'est
l'autre qui vous tombe dessus et, mon ami,
c'est trop tard. Raclé.

Si on savait tout !

Il n'y avait toujours rien à écouter. Rien
que le Gédémus. Il avait l'air de se soulager en parlant. Arsule écoutait les mots
mais, autour des mots, elle écoutait le silence aussi parce que, vraiment, il y avait
eu tout à l'heure dans ce silence quelque
chose de pas naturel. Et on avait beau parler et parler, ça ne faisait pas que ce qui
était venu tout à l'heure ne revienne pas. La
preuve que Gédémus y pensait aussi, c'est
qu'il regardait la porte de temps en temps.

— Si on savait tout ! C'est pas que ça
me fasse quelque chose non, c'est pour
dire, mais, c'est comme moi, à mon âge,
de courir comme ça dans ces pays pas ca-

tholiques... C'est pas ça, il y a plus de
trente ans que je passe par là; je sais ce que
je fais, je ne suis pas un enfant; c'est pour
dire. Plus de cent fois j'ai eu l'occasion de
prendre un bout de terre, et plus de besoin
de sortir. On serait tranquillement là-bas
à Sault...

La bougie est à moitié. On ne peut pas
parler comme ça toute la nuit. Quand on
dort, on n'entend rien.

— Tu es fatiguée, Arsule, on dort ?

Avant, il est allé jusqu'à la porte. Il a
écouté. Puis, il a entre-bâillé la porte et il
a passé la tête dehors pour voir. Il n'y a
rien sur le plateau, il est tout blanc jusqu'à
la perte des yeux. Il n'y a rien dans le ciel.
La lune, toute nue, est seule au milieu de
la nuit comme une amande.

Ils ont dû dormir assez longtemps. La
fatigue d'abord et puis aussi l'envie de ne
plus rien entendre, de ne plus rien voir.

Comme Arsule commençait à s'endor-
mir, elle n'a plus su ce qu'elle faisait et ça
a été son corps en travail qui a commandé.
Elle s'est approchée doucement de Gédé-

mus, elle s'est serrée contre lui, elle s'est
mise là, contre la cuisse de l'homme; elle
a serré la cuisse de l'homme dans ses cuisses et le bourgeon de ses seins était contre
le dos de Gédémus. Là, elle s'est endor-
mie. Ils ont dû rester comme ça assez longtemps et, tout d'un coup, ils se sont réveillés.

Les choses avaient marché pendant ce
temps. Le plateau, le vent, la nuit, tout
cela avait eu le temps de se préparer ct
c'était fin prêt. Il y avait dessous la porte
une épaisse barre d'argent large de quatre
travers de doigt, et c'était la lumière de la
lune. Il était venu un vent de nuit de forte
haleine; il galopait bride abattue à travers tout le plateau, il avait un long gémissement comme pour boire tout le ciel. La
gineste craquait sous ses pieds, les genévriers écrasés criaient; les figuiers grif-
faient les murs et leurs grandes souches
grondaient dans la terre sous les pierres.
Il y avait tous ces bruits, mais ce n'était
pas ça qui les avait réveillés : c'était le
bruit d'un pas et d'un claquement d'é-
toffe :

— Tu entends ?

— Oui, souffle Arsule.

— Ne bouge pas.

C'est à côté. Ça tâte les murs. Une
pierre tombe.

— Ne bouge pas, répète doucement Gédémus à Arsule qui ne bouge pas.

Ça passe à travers les fouillis des figuiers. On s'arrête pour décrocher l'étoffe.
Puis le pas. Ils sont serrés l'un contre
l'autre. Ils ne bougent pas. Il ne faut pas
que la plaille craque. Par leur bouche
grande ouverte, ils font passer de longs
morceaux de leur respiration, doucement,
longuement, sans bruit. Il faut qu'ils
soient là, dans le milieu de l'ombre, muets,
immobiles, comme de l'ombre. Il le faut.
Ce n'est plus pour rire. Et, tout d'un coup,
il le faut tellement qu'ils arrêtent leur
souffle.

Une ombre a éteint la barre d'argent qui
luit sous la porte. Ça y est. C'est du bon
cette fois, c'est là devant. Un bruit de rien
frôle la porte, tâte le bois. Il semble que
c'est une main qui s'appuie sur le vantail
pour voir si c'est fermé. C'est fermé. La

grosse pierre qui tient fermé a un peu bougé. Elle a grincé. Tout léger que c'est,
c'est quand même une force qui est là, qui
est venue voir, qui a tâté...

Et c'est parti. L'eau de la lune s'est
remise à couler, toute claire, sous la porte.

Ils ont attendu un bon moment, sans
rien dire, sans bouger, toujours pareils à de
l'ombre. Ils avaient les yeux tout ouverts
et ils regardaient la barre de la lune parce
que c'était ça, l'indication.

Il n'y a plus rien. Il n'y a plus que le
vent.

C'est encore au bout d'un plus long moment que Gédémus a osé se tourner et il
est venu face à Arsule; et il avait sa tête,
sa bouche tout contre la tête, la bouche
d'Arsule et il lui a dit :

— Tu as vu ?

— Oui.

— Ecoute : cet après-midi, sur le plateau, quand je suis allé pour regarder à
l'endroit où ça avait fait : hop; l'herbe
était toute couchée, comme sous un poids,
comme sous le poids d'une bête; elle était
en train de se relever. Mais, quand je suis

arrivé là, elle était aplatie. Voilà, et tu as
vu. Il y a quelque chose entre nous, cette
fois.

La porte est ouverte et il fait grand jour.

— Arsule, comment veux-tu qu'un pays
comme ça nous fasse du mal, regarde-le,
tiens, c'est pas beau, ça ?

Tout bleu d'iris, terre et ciel avec, à
l'ouest, un bouquet de nuages; le jeune soleil marche, enfoncé dans les herbes jusqu'aux genoux. Le vent éparpille de la
rosée comme un poulain qui se vautre. Il
fait jaillir des vols de moineaux qui nagent
un moment entre les vagues du ciel, ivres,
étourdis de cris, puis qui s'abattent comme
des poignées de pierre.

— Ah ! on est de beaux soldats, l'un et
puis l'autre.

On a sorti la machine à aiguiser. Elle est
là sur ses roues dans le droit fil d'un petit
chemin. Elle va partir : Arsule est attelée.
Le jour est beau comme une large pièce
d'argent toute neuve.

— On n'a qu'à marcher vers le soleil
et, dans deux heures on sera à la Pimpre-

nelle. De là à la fin des rates il faut encore
trois heures, mais c'est bon matin; en tout
comptant et une chose et l'autre, et la
pause qu'on fera pour dîner et un bout de
sieste pour remplacer le temps perdu cette
nuit, on arrivera là-bas bien avant le soir.
En tout comptant.

Mais il n'a pas tout compté, et on est
parti.

Ce devait être vers le milieu du matin
et Gédémus a tourné la tête pour regarder
derrière lui. La Trinité est au fond des
landes comme un petit tas de cendres froides. Un peu plus tard il a encore regardé
et il n'y avait plus de La Trinité, il n'y
avait plus que le ciel à la place. Alors, devant, il y avait du ciel, et du ciel aussi de
chaque côté; et, sous les pieds, il y avait
ce sol poreux qui sonne comme un plafond
de cave; plus d'herbe mais des touffes de
genévriers, tout arc-boutés. On était cette
fois dans le grand large du plateau comme
au milieu d'une mer.

Arsule c'est arrêtée.

— Ça vient de faire : hop, là-devant...

Gédémus se gratte la tête.

— Loin ?

— Non, là-devant.

Là-devant c'est l'herbe plate.

— Ecoute, dit-il, tournons un peu à droite alors.

Alors, on s'en est allé hors de la bonne route, dans des quartiers perdus où le ciel était collé si fort contre la terre qu'il fallait forcer de la tête pour passer entre les deux.

Le matin les a trouvés blèmes comme des oiseaux nus. Ils étaient dans un creux d'herbes. Ils se serraient l'un contre l'autre. Quand le jour les a touchés ils ont levé la tête et les yeux qui n'ont pas dormi ont reconnu la terre. Au-dessus du plateau, il y a une petite vapeur qui monte comme une fumée.

— Je sais où on est, dit Gédémus, on est près d'Aubignane; ça va pas mal, Arsule. Après, c'est Vachères. Ça va pas mal.

Le soleil leur a redonné du goût et ils

ont osé se dresser. Arsule a passé son bras
dans la bricole; on est reparti. Là-devant,
Gédémus sait que le plateau se casse brusquement et qu'il y a Aubignane, quelques
maisons, un vallon avec des arbres, de
l'eau; ça va pas mal.

L'aube est chaude. A l'est, le ciel est
ouvert comme une porte de four. Plus
d'herbe. Le plateau penche un peu et, sur
cette pente, le vent a entassé tout son
sable.

Arsule tire comme un âne : avec tout le
poids de ses hanches et de ses reins.

Cette émotion de sa chair, ce travail du
sang, ça vient de revenir à croire que c'est
une malédiction. Ses seins sont encore
comme des bourgeons d'arbre. Elle tire sur
son corsage parce que le corsage frotte le
bout de ses seins et que ça l'énerve. Elle
renifle pour mieux sentir l'odeur de Gédémus qui sue. Elle sue, elle aussi; elle se
penche vers ses aisselles pour sentir son
odeur à elle. Elle geint en elle-même :
maman, maman, comme pour la peur.

Aubignane est de la couleur du plateau.

On ne le voit pas à l'avance, puis, d'un coup on y est.

— J'étais passé une fois, moi, dans le temps : il y avait encore un peu de monde. Il y avait le Jean Blanc qui restait sur la place de l'église. Allons un peu voir.

Sur la place de l'église il n'y a plus que l'herbe. On a cloué la porte de Jean Blanc.

— Il y avait le Paul Soubeyran dans la rue après; il y avait l'Ozias Bonnet qui tenait épicerie.

Il y a une maison toute ouverte au dedans noir et qui sonne comme une grotte dès qu'on met le pied sur le seuil : c'est la carcasse, pas plus. Quand les yeux sont habitués à l'ombre, on voit au fond comme un arbre en or et en lumière. C'est une grande fente qui a partagé le mûr maître depuis la fondation jusqu'aux tuiles.

— Il y avait aussi un qu'on disait le Panturle, avec sa mère, mais en dehors du village, en bas, tu vois, près du cyprès. Viens, on descend.

Là aussi la porte est fermée. Pourtant, il y a un billot où on a fendu du bois à la hache. Il y a des entailles fraîches dans le

billot et des copeaux frais dans l'herbe et
un sentier qui entre droit sous la porte et
qui est bien vivant encore. Pourtant, il y a
une ceinture de laine bleue pendue à une
branche du cyprès et le vent la balance.
Mais, à bien regarder, elle est vieille.

— Oh ! l'homme, crie Gédémus.

Puis il dit :

— Celui-là, il n'y a pas longtemps qu'il
est parti.

Devant la maison, il y a de l'herbe verte
et douce. Il y a le cyprès et, comme un fait
exprès, une voix bonne à entendre, douce
à l'oreille. Et puis, il y a des abeilles qui
ont niché sous une tuile et qui grondent
là, dans le ciel. Et puis, comme un mira-
cle, a n'y pas croire, à s'en frotter les
yeux, il y a un tout petit lilas fleuri.

— La pause, Arsule, la pause.

Gédémus, couché, s'étire comme un
chien.

— On dormirait presque.

Non, elle ne pourra pas dormir, avec ce
besoin qui est en elle comme une eau qui
effondre tout. Son cœur est une motte de

terre qui fond. Elle est assise dans
l'herbe. Il y a des pâquerettes entres ses
jambes. Elle n'est plus qu'une peau toute
vide; elle entend chanter au fond d'elle
cette eau aigre comme du feu.

Elle ouvre son corsage. Elle sort ses
seins. Ils sont durs et chauds et elle en a
un dans chaque main...

C'est à ce moment-là qu'elle a vu sur le
seuil blanc de la porte une flaque de sang
épaisse comme une pivoine.

IV

Panturle a pris sur la paille une pomme de l'automne dernier. Elle est froide et de peau verte; il la chauffe dans sa paume; il la chauffe avec sa bouche en soufflant dessus avant de mordre.

Il est assis devant sa porte. Ça a fait du chemin depuis que la Mamèche est partie. Dans ce coin, un petit bout de lilas va fleurir et le vent de la plaine a porté jusqu'ici une grosse abeille toute folle et qui s'est mise à renifler les tuiles. Mais elle va mourir. C'est trop tôt de quelques jours.

Il est allé guetter le renard. Ça se fait avec beaucoup de silence et peu de gestes. On se cache en colline et on écoute. Si on sait lire dans les bruits de l'air on apprend qu'il couche là, qu'il va de là à là, qu'il

cherche les cailles, qu'il suit les perdreaux.
Après, caler le piège, c'est un jeu.

A la guette du renard, Panturle à rencontré le vent, le beau vent tout en plein,
bien gras et libre, plus le vent de peu qui
s'amuse à la balle, mais le beau vent, large
d'épaules qui bouscule tout le pays. A le
voir comme ça, Panturle s'est dit : « Celui-
là, c'est un monsieur. »

Il ne sait pas bien comment ça se fait;
il était couché dans l'herbe, et c'était pour
le renard; puis, petit à petit il a glissé vers
autre chose, au moral. Il faut dire que, là
où il est, c'est sur cette bosse seule, face
au midi où tout le mouvement de l'air
passe. Le vent s'appuie sur lui de tout son
poids, par larges coups, longs et lourds,
puis s'envole, et c'est un ronron comme de
chat. Il est là à plat ventre sur la terre et
le vent presse comme une éponge. Cette
chose du renard et du glapit qu'il faut
guetter, ça coule de lui dans l'herbe et la
terre le boit. Ces autres choses auxquelles
il pensait, qui sont dans sa peau comme
des vinaigres ou des eaux douces, elles cou-

lent aussi de lui pressé de vent; et c'est
aussi la terre et l'herbe qui le boivent.

Le voilà vide tout d'un coup.

Le vent toque du doigt contre lui comme
contre un baril, pour voir s'il reste encore
du jus. Non, Panturle sonne sous le doigt
du vent comme un baril vide.

Il est revenu à la maison presque au
soir. Il n'y avait jamais eu de renard sur
la terre.

Il s'est aperçu que c'était presque le soir
parce qu'en marchant la tête haute vers le
vent, il a vu le soleil qui passait ses cornes
par le fenestron du clocher. Il se sent tout
lavé de haut en bas comme un drap avec
une brosse. Il est tout blanc, il est tout
neuf. Il va sur la terre avec un cœur propre.

Le jour d'après, il a quand même entendu le renard. C'est la grosse habitude, la
mécanique de la tête qui tourne encore de
son propre élan. C'est venu du Valgast, puis
du Chaume-Bâtard, donc, dans le creux des
terres fortes, la bête passe quelque part,
au milieu des pierres. Ça va. Le piège est

de bon acier; il claque de la machoire
comme un maître. De la tripe de lapin
pourrie, graisser le ressort et ça y est.

Panturle se redresse; il voit l'aubépine
du ruisseau. Elle est neuve, elle aussi, et
fleurie; elle écume. Comme il est là, une
pelote de plumes et de cris lui vient frapper
la poitrine, tombe à terre, se partage et
rejaillit de l'herbe en deux moineaux.

— Oh, follets; on n'y voit plus alors ?

Au même moment le vent le ceinture
d'un bras tiède et l'emmène avec lui. La
raison qu'il se donne c'est qu'il est de trop
bonne heure pour piéger. Le vrai, c'est
qu'il lui semble partir en promenade avec
un ami.

Il y a Caroline qui bêle. Ce n'est plus sa
voix de vieille bique, mais un petit tremble-
ment doux d'enfant-chèvre. Elle se plaint
comme ça aux quatre coins de l'air. Elle
gémit devant le cyprès, devant l'aubépine.
Elle a mangé la première fleur du lilas. Ce
matin, il n'est sorti de ses mamelles que
deux ou trois gouttes de lait jaune qui sont
restées dans les poils. Panturle insiste du

pouce. Caroline rue, se dégage et va gémir contre la lucarne qui souffle le souffle en fleur du vent.

Le bol est vide.

— Et alors, Caroline, et alors, et alors, c'est déjà fini ?

Elle vient vers lui toute tremblante, pousse sa tête rocailleuse contre la tête de l'homme, doucement, en caresse, et geint.

— Et alors, Caroline, et alors, répète Panturle ?

Cette aubépine où se pose le soleil dès qu'il dépasse la colline, elle a un rossignol dans ses feuilles. On dirait que c'est elle qui chante.

Il est venu dans le petit pré une ondulation d'herbe et il ne faisait pas de vent; à cause de ça, Panturle a vu la couleuvre qui s'en allait sa route, toute frétillante, vêtue de neuf. Quand elle a été au bout du pré, elle s'est retournée; on voyait qu'elle n'avait rien d'autre à faire que de nager de tout son corps dans la fraîcheur verte. Il y a maintenant, sous l'auvent des tuiles, un petit essaim qui cherche un abri. On dirait

une poignée de balles de blé que le vent
porte.

Il est venu aussi — c'était dans les midi
— un grand chien inconnu. La lisière du
bois s'est ouverte; il a hésité au seuil du
pré. Il est maigre et tout en os comme un
cep de vigne; sa gueule rouge cherche le
fil du vent. Il est allé sur le ruisseau et il a
bu. Il buvait, puis, il levait la tête et regardait Panturle un moment; il se remettait à boire. On entendait l'eau qui des-
cendait son gosier par blocs épais et ça
s'entassait dans sa peau avec du vent.
D'un coup, une odeur a dû passer et il s'est
lancé derrière elle.

On sent que la terre s'est passionnée
pour un travail qui éclate en gémissements
d'herbes et passage de bêtes lourdes.

Les bêtes sont lourdes. Il y en a bien de
légères et de maigres qui bondissent, des
mâles, mais il y a surtout des bêtes lourdes, comme gonflées, et qui passent lentement dans les clairières et qui cherchent
sous les buissons, et qu'on entend fouiller
sous les chênes, dans les feuilles sèches.

Celles-là, quand Panturle les rencontre, il s'arrête et il les regarde sans bouger. Elles se hâtent péniblement vers un couvert, et là, se blotissent, essoufflées, l'œil tremblant, comme une fleur au vent.

— C'est des femelles.

Il les laisse en paix parce qu'il est chasseur et que c'est sa provision à lui qu'elles ont dans le ventre.

— C'est une passion qu'elle a, la terre !

Il est inquiet et amer; il s'est aperçu brusquement qu'il était seul. Caroline n'a plus de lait.

— Il faudrait un bouc.

Cette nuit, il a eu un rêve qui l'a tourné de côté et d'autre et qui l'agaçait comme un chatouillement au creux du coude.

Avant de s'endormir, il a pensé à sa solitude, à ce temps de Gaubert et de Mamèche. Puis il a pensé avec ardeur à la Mamèche elle-même. Si elle avait été plus jeune... Folie de se dire ça, mais, aussi, cette grande haine que le monde a contre lui, depuis le soleil jusqu'à l'herbe. Cette force folle que le printemps a mise au creux de ses reins et qui bout, là, comme une eau toujours sur le feu... Si la Mamèche était encore là, il attendrait le jour, ah oui, il attendrait le jour, parce que cette nuit est trop mauvaise pour son entendement et il n'est pas sûr de ses gestes, et puis, le jour venu, il irait lui dire :

— Puisque tu veux m'en chercher une de femme, va, puisque tu sais où elles sont celles qui veulent.

Mais, à y réfléchir, c'est peut-être ça son départ. Elle était tenace dans ses idées.

On a cogné contre la porte.

Un bond; il va ouvrir : la nuit déserte le salue.

Il s'est recouché, il s'est endormi, et, tout de suite cette femme qu'il veut, il l'a eue là, allongée contre lui. C'est de la chair blanche, c'est contre lui du genou jusqu'à la poitrine. Il s'est réveillé comme un bloc de bois qui a plongé remonte au-dessus de l'eau. Il est étendu sur le ventre. Il s'est remis sur le dos.

Alors, c'est revenu, plus doucement, de plus loin, mais c'est revenu : Une maison où il allait du temps de son service militaire derrière les abattoirs de la ville. Chaque fois on se battait avec les artilleurs. On passait un petit pont. Dans le ruisseau sale, dessous, l'eau dormait dans les détritus et les débris de viande; une eau noire avec une peau de soie de toutes les couleurs. Il y avait de tout : des vieilles tripes, des pieds de bœuf écorchés, raides, avec le sabot gonflé comme une tête.

Il a sauté sur son matelas comme un poisson. Il s'est réveillé, il est allé devant la fenêtre. Dehors, c'est la belle lune et il est resté tout malade contre cette belle lune qui fait déborder le bassin de la vitre jusque près de l'âtre.

Une bête est venue jouer dans la prairie. Ce devait être une femelle de blaireau. Elle s'est mise sur le dos, le ventre en l'air, un beau ventre large et velouté comme la nuit et qui était plein et lourd.

Ce matin, il essaye encore de traire Caroline. La mamelle est dans sa main comme une petite bête morte. Elle ne vient

même plus cette goutte de lait jaune...
c'est fini

Il lui donne un coup de poing dans les
côtes. Etonnée, Caroline esquive un autre
coup en creusant les reins. Il a frappé.
Pourquoi ?

Il a encore besoin de frapper. Ce ne serait pas Caroline — la chèvre — il frapperait encore. Si seulement c'était un
homme il frapperait encore. Ça lui fait du
bien. Parce que autrement, il se sent amer
et tout fleuri comme l'aubépine.

Et puis, il a attrapé le renard : c'était
un jeune. Il était pris de tout juste à l'ins-
tant. Il devait être là à manger l'appât au
bout des dents, se méfiant, connaissant le
système et puis le pas de Panturle a sonné,
le coup de dent a été un peu plus rapide,
moins calculé et la mâchoire du piège a
claqué sur son cou. Il est mort. Une longue
épine d'acier traverse son cou. Il est encore
chaud au fond du poil, et lourd d'avoir
mangé. Panturle l'enlève du piège et il se
met du sang sur les doigts; de voir ce sang
comme ça, il est tout bouleversé. Il tient

le renard par les pattes de derrière, une dans chaque main. Tout d'un coup ça a fait qu'il a d'un cou sec, serré les pattes dans ses poings, qu'il a élargi les bras, et le renard s'est déchiré dans le craquement de ses os, tout le long de l'épine du dos, jusqu'au milieu de la poitrine. Il s'est déroulé, toute une belle portion des tripes pleines, et de l'odeur, chaude comme l'odeur du fumier.

Ça a fait la roue folle dans les yeux de Panturle.

Il les a peut-être fermés.

Mais, à l'aveugle, il a mis sa grande main dans le ventre de la bête et il a patouillé dans le sang des choses molles qui s'écrasaient contre ses doigts.

Ça giclait comme du raisin.

C'était si bon qu'il en a gémi.

Il est revenu à la maison. La bête crevée chauffait son poing comme une bouche.

Il a pendu le renard sur son seuil pour l'écorcher. Il a du sang jusqu'au poignet; il y en a même un filet qui coule, se sèche,

puis coule le long de son bras, dans les
poils. Il y a aussi du sang sur l'escalier de
la porte. Il pèse avec son couteau pointu
sur la peau; le couteau hésite puis, brusque, se décide, s'enfonce et il faut retenir.

C'est bon quand on sent que le couteau
entre !

Ça aurait pu être une femelle.

Avec des petits comme des noix blan-
ches. Un chapelet de petits !

Ça aurait pu être mère blaireau avec
son ventre lourd qui flottait dans la fontaine de la lune.

— A quoi je vais penser. Je suis un peu
fou, hé !

Le vent est dans sa chemise, contre sa
peau, tout enroulé, tout frétillant comme
une couleuvre. Le paquet des boyaux est
dans l'herbe juste sous l'odeur du lilas...

Il fouille dans le renard comme dans une
poche. Ça, lourd et juteux comme un fruit
mûr et qu'il écrase, ça sent l'amer, ça
sent l'aubépine. C'est le foie. Du fiel vert
gicle sur son pouce...

Brusquement, il a été rappelé de ce côté-ci du monde. Et c'est une bonne poigne qui l'a pris au collet et l'a planté sur ses pieds dans notre monde d'Aubignane, en face de sa maison, en train d'écorcher un renard comme un saligaud.

On entend marcher sur le chemin du village. Il écoute, et c'est bien un pas qui bouge sur les pierres.

La Mamèche ?

Non, une voix d'homme, et puis une autre voix en réponse qui lui fait tressaillir tout le cœur et lui jette à la figure toute la chaude honte d'avoir patouillé avec les mains dans le sang.

Il décroche la bête. Il entre dans la maison. Il ferme doucement la porte. Il pousse le gros verrou.

Il n'entend plus de bruit. Il sait qu'ils se sont couchés dans l'herbe. Il se baisse. Il délace ses gros souliers. Il va sur ses pieds nus jusqu'à la porte. Oui, ils sont là.

Pour les voir ?... Du grenier...

Il monte doucement les escaliers, équili-

bré de ses deux bras étendus. La lucarne
est à ras du plancher. Il se couche. Il s'a-
vance d'elle en rampant.

Il les voit. Il la voit.

Il est dans l'ombre. Eux au soleil. C'est
la chasse. Elle est jeune !

D'un bond, sans prendre garde au bruit
qu'il fait, il se dresse, il se rue vers les escaliers, car là-bas la femme à ouvert son corsage. Elle tient ses mamelles dans ses
mains.

Il butte dans un pétrin, il roule à terre,
— ... de dieu !

Et un coup de poing dans cette grande
poitrine de bois. Il se relève, cogne de la
tête dans la pente du toit. On dirait que
sa bouche est pleine de cette fleur de l'aubépine. Il crache. L'ombre de l'escalier
toute étoilée d'étoiles d'or qui dansent et
qui sont dans ses yeux, l'ombre de l'escalier est toute rouge dans laquelle il trébu-
che, ploie des genoux, saute, glisse et descend tant sur les reins que sur les coudes,
emporté par le grand élan de toute sa
chair.

Deux sauts, et il renverse son chaudron...

Ah ! que sa main est longue à trouver
le verrou; un de ses ongles se tord sur le
fer. Il arrache la porte qui hurle... Personne !

Le cyprès, le lilas, avec sa fleur à moitié rongée par Caroline, les abeilles du toit
qui montent et descendent et un petit vent
dans le clocher, là-haut.

Il renifle un grand reniflement qui est
celui des sangliers surpris, un avalement
d'air qui siffle dans sa narine large ouverte.

Elle est gonflée, sa poitrine, et il bat son
poing sur elle dans un grand coup.

Mais, là, dans l'herbe, une tache ronde,
un nid... La femme était là. Ce n'est plus
de la nourriture de vent comme cette nuit,
ça.

Il y a dans ce sentier une branche qui
bouge de gauche à droite; si c'était du mouvement de l'air elle bougerait de bas en
haut :

Un bruit de pierres qui roulent.

La branche, le bruit de pierres, ça donne une direction.

C'est par là...

Bon.

Par là, c'est tout un; on ne peut faire qu'une chose : aller d'ici aux Plantades, des Plantades aux Moulières et après les Moulières on passe au bas de Soubeyran sous le saut du ruisseau Gaudissart.

Bon.

Il ouvre la bouche pour se gonfler à bloc de bon air doux. Courir derrière ? Non, il sait.

Il y a trop de jour et tout ce jour c'est une défense pour l'homme et pour la femme. Que faire au milieu de ce jour sinon parler avec des paroles d'homme ? Il ne sait pas parler avec des paroles d'homme pour cette chose là. Il est trop plein de cette bouillante force, il a besoin du geste des bêtes.

Il est rentré, il a remis ses souliers. Il a pris son couteau d'écorcheur de renard et il est venu là, sous le cyprès. Il a avalé encore deux ou trois goulées d'air, puis il est parti sur son chemin de printemps.

C'est bien ça !

Voilà le sentier, la piste de la femme.
Elle est là sur ce petit fil de terre qui tremble entre les herbes. Il a un grand rire qui
ne fait pas de bruit, son rire de chasseur.
Il rit de savoir lire cette chose écrite dans
l'air et dans la terre. C'est ce sentier,
aussi, qui le fait rire. Ce sentier qui est déroulé dans les collines comme la longe d'un
fouet, et lui, il tient le manche. Avec un
bon fouet et un lié sec du poignet on va
cueillir une fleur à deux mètres, dans le
pré, là-bas. C'est comme ça ici. Plus
grand.

Ça le fait rire. Il en bave; il s'essuie avec
le dos de sa main cimentée de sang. Il a
du sang de renard sur la bouche.

Le printemps est cramponné sur ses
épaules comme un gros chat.

Le ruisseau Gaudissart coule un bon moment sur les herbes couchées, puis il commence à s'enrager contre les rochers, et, à la
fin, il s'enfonce dans la colline. Il a tranché
de grands bancs de pierre, il est descendu

au fond de la colline, il est là, dans une
nuit grise, à ronronner. C'est son nid. Des
fois, il fait gonfler son beau ventre tout
écaillé d'écume; des fois il s'étire entre
deux os aigus de la roche; des fois il fait
nuit tout à fait et alors on voit seulement
son gros œil couleur d'herbe qui clignote et
qui guette.

Panturle connaît ça comme sa poche.
Même dans les endroits où c'est l'ombre
bouchée, il envoit son pied juste sur la
pierre qu'il faut; il tend la main et il saisit
juste la racine qu'il faut; il colle son dos
contre le flanc huileux des roches et il
passe.

C'est un raccourci.

A l'autre bout du défilé, le ciel entre
comme un coin de fer dans la colline. On
commence à mieux y voir. Le Gaudissart
file à toute allure comme dans une rigole
de schiste bien polie. Il est là-dedans tout
allongé, tout étiré, machuré par de grandes raies luisantes qui partent de l'ombre
comme des flèches et, là-bas, dans le jour
se courbent. Il semble qu'on a étiré le ruisseau, il semble qu'il y en a un, là-haut sur

le plateau qui tire sur la queue du ruisseau
et un autre, en bas dans les plaines qui
tire sur la tête comme quand on veut écorcher une couleuvre. Et puis, en appro-
chant toujours dans la direction du jour,
ça devient comme de la soie, et c'est tout
mol et tout en luisance, et ça se gonfle d'air
et de vent, et enfin, ça reste plié sur la
pente de la colline comme un foulard qu'on
a mis à sécher au versant d'un talus.

C'est que le Gaudissart, tout mangeur de
terre qu'il est, n'a pas assez mangé de plateau, qu'il débouche sur l'autre bord, à
quarante mètres de haut, et que, de là, il
saute.

Il saute en trois sauts, par trois escaliers arrondis, entre des coussins de
mousse. Un petit saut d'enfant d'abord,
puis, d'un élan, il dépasse la roche et s'envoie dans une épaisseur de six mètres
d'air. Il se reçoit sur le ressort de ses reins,
il roule sur une pente de vingt mètres et
alors, d'un beau vol, bandé comme un arc,
il descend dans le plan Soubeyran au milieu d'une cuve qui roule du tambour.

En bas, le sentier contourne la cuve,

passe au-dessus du ruisseau sur trois pierres plates et s'éloigne en écrasant les prés
sauvages.

Panturle s'est arrêté au débouché du
ruisseau, juste au-dessus du saut du Gaudissart et il a pris l'affût sous un pin. De
là il voit l'orée du bois et, dès le premier
pas qu'ils feront hors du couvert, il les sui-
vra de l'œil d'après son plan. Et le temps
a passé, et, comme ça, son désir s'est gonflé en lui jusqu'à l'emplir. Ça a écrasé tout
ce qui était de l'homme. Il n'est plus resté
là, dans l'herbe, que le grand mâle. Ses
yeux n'ont pas quitté le bord du bois. Rien
n'est venu au bas que deux pies qui appre-
naient à voler, les plumes du croupion en
éventail, et qui tombaient dans le foin sec
comme des balles.

Il a froncé sa bouche au lieu de rire,
et reniflé, et craché, puis, à quatre pattes
il s'est avancé dans les herbes jusqu'au
rebord.

Le pin est penché sur l'eau. Il est tout
maltraité de vent et d'eau; la peau de dessous le tronc toute moisie. Panturle em-

brasse le tronc gluant et il monte en faisant les ciseaux avec ses genoux, en lançant ses grandes mains qui se referment
sur le rond des branches en tirant des bras,
glissant des reins, de la résine plein les
doigts. Dans le vide de sa tête, seule le
vent sonne, et son désir.

Il s'est installé, tout cassé comme une
bête sur la longue branche au-dessus du
vide. Il voit bien de là. La branche craque.
Il voit bien; sa guette le rend tout tremblant. Ses longs muscles jouent tout seuls
de la claquette au milieu de la chair comme
les longues cordes qui tiennent les seaux
au fond des puits.

Rien.

La branche a craqué. Il est là, de tout
son poids avec les fcuilles.

Et soudain, la branche a eu un long gémissement et s'est penchée; il a donné un
coup de rein dans son instinct d'animal
et jeté les mains vers l'autre branche, là-
haut; mais, celle-là, c'est comme si elle
s'envolait et il tombe.

Il reçoit dans le dos la grande gifle d'une main froide, et il voit les longs doigts blancs du ruisseau qui se ferment sur lui.

Tout de suite, l'eau esquive, le couvre de son corps épais et glissant. Il la repousse de la jambe et du bras; elle le ceinture, lui écrase le nez, lui fait toucher les deux épaules sur les pierres plates du fond.

Il fait le pont avec ses reins et, d'un lié de bras, d'un effort de poisson, il saute. Il vient butter de la bouche contre une masse d'air dur comme de la pierre. Il en avale de quoi s'emplir. Il pèse aussi, lui, sur l'épaule de l'eau. Il lance sa main vers la rive. Il plante ses doigts dans la terre : elle est pourrie, elle cède à poignées; elle vole avec des bouts de joncs autour de la lutte.

La solide prise de l'eau est autour de sa ceinture; d'un coup, le ruisseau l'arache, l'emporte, le lance par-dessus le rebord.

Il s'est écaillé sur le premier escalier, comme un crapaud, à plein ventre et, tout de suite il a recommencé à lutter. Mais, au vrai, il bouge ses bras et ses jambes doucement, tout doucement comme dans de la glu; l'eau, elle, bouge ses bras et ses jam-

bes avec de la double force et de la colère
d'écume.

Tantôt il boit une goulée d'air et ça va,
tantôt une goulée d'eau et ça va aussi, car
il y a dans l'eau un grand visage de femme
qui rit, avec deux canines très pointues
sous les lèvres.

Et il a été jeté par-dessus le second rebord comme un paquet.

Il a roulé sans plus combattre sur la
dernière pente. Il a roulé, mélangé avec de
l'eau et de la mousse et la maison aux soldats, et la carne qui pourrissait à la porte
comme des fleurs. Elles s'élargissent
dans sa tête, ces fleurs de sang et de pus,
pleines de mouches.

Des mouches d'or dans ses yeux.

Il semble que l'eau lui ferme la bouche
avec un paquet de tripes froides.

Et il a fait, à la fin, le grand saut dans la
cuve.

Depuis un moment, il a recommencé à
vivre, mais il a gardé les yeux fermés.

Il est venu un grand bruit doux et une

fraîcheur : plusieurs voix d'arbres qui
parlaient ensemble. Il s'est dit : c'est le
vent. C'est de là qu'il a recommencé à
vivre.

Il a reconnu la nuit au goût de l'air dans
son nez. Alors, il a ouvert les yeux mais il
n'avait pas pensé à la lune et la grande
lune entre dans ses yeux sensibles comme
un couteau. Il a vite fermé les yeux, mais,
quand même, à la volée, il a vu que sa tête
était au milieu de l'herbe. Qu'est-ce qu'il
fait là ? Il est resté un bon moment à se le
demander puis il a reconnu le goût de sa
bouche. C'est une odeur de boue et de
mousse d'eau. Il a bougé doucement sa
langue et ses mâchoires comme pour mâcher cette odeur et voir au fond si ça ne
ferait pas souvenir de quelque chose. Il y
a des petits grains de sable qui ont grincé
entre ses dents.

Un peu après, il s'est aperçu qu'il était
couché à plat ventre sur la pierre froide et
ça l'a étonné; d'habitude, il ne se couche
jamais comme ça parce que ça donne des
coliques.

C'est bien du petit gravier qu'il a dans

la bouche. Et puis, il a entendu au fond du
vent le bruit de la chute d'eau et il a tout
compris, d'autant qu'à petits pas le sens
lui revient. Il s'est souvenu de la dégrin-
golade et de la branche de pin et il s'y voit
encore pendu comme un singe. L'épaule
lui fait mal, il soupire, un long soupir, et
il entr'ouvre un peu l'œil pour voir s'il est
bien sur l'herbe et sur la terre sèche.

C'est bien la terre et ça va mieux; il a
vu, dans la lune toute propre, l'ombre d'un
peuplier.

Il pense :

— Si je reste comme ça, sur le ventre,
je vais attraper la misère, et il essaye de se
tourner, et il se tourne d'un bloc. La lune
pose son doigt blanc sur ses paupières. Une
voix à côté de lui dit :

— Il a bougé.

Il a ouvert les yeux sans plus penser à la
lune et il a dressé la tête; on dirait la voix
de la femme.

Et c'est elle.

Elle est assise là, dans l'herbe, à côté de
lui; elle le regarde. Elle a parlé; personne
n'a répondu.

— Alors, ça va mieux, elle demande ?

Sur le coup, il ne comprend pas, puis il répond :

— Mieux, oui; et vous ?

— Moi, j'ai eu bien peur. Et j'ai pas pu dormir. Je suis venue, comme ça, voir un peu ce que vous faisiez; juste vous étiez en train de vous tourner. Alors, j'ai pensé : ça va mieux; ça m'a enlevé un poids de dessus la poitrine.

Elle est dans la lune. Il la voit bien : sa figure pointue et pâle comme un gros navet, presque pas de menton un long nez en pierre lisse, des yeux comme des prunes, ronds, veloutés, luisants, sa lèvre gonflée par ces deux dents qui pointent quand elle rit. C'est la plus belle !

— Vous êtes bien brave, dit Panturle. Et alors, c'est vous qui m'avez tiré sur l'herbe ?

Il crache pour faire sortir ce goût de sable et de source qui est dans sa bouche.

Elle se traîne dans l'herbe sur les genoux jusque près de Panturle :

— Je m'approche pour ne pas le réveiller. Oui, c'est moi qui vous ai tiré. Ça

s'est fait comme on débouchait du bois.
On avait le saut du ruisseau tout pendu devant nos yeux et on le regardait. Et puis,
on avait vu un grand morceau d'arbre qui
tombait, et puis, comme un paquet de
linge.

Il a dit : « On a laissé échapper la lessive. » Je lui ai dit : « Oui, lessive, c'est
un homme ! » Il m'a dit : « Ah, va, un
homme ?... »

Moi, j'avais tout de suite vu. Je lui ai
encore dit : « C'est un homme ! »

C'est juste au moment où vous avez fait
le grand saut, et, on vous a bien vu, tout
allongé dans l'eau qui tombait. Alors on
est venu en courant. Vous filiez tout raide
sous l'eau comme un gros poisson, et l'élan
vous a mis au bord. Et on vous a tiré sur
l'herbe, lui et moi. Tout de suite, vous
avez dégorgé de l'eau. Il m'a dit : « Il n'est
pas mort, il va revenir. » On a attendu un
moment. Ça ne revenait pas. Alors, il a
dit : « D'autant plus qu'il fait nuit, qu'on
couche là ou ailleurs, ça fait pareil. Seulement, il faut s'en aller d'à côté la chute
parce que c'est tout humide comme de

pluie. Et on est venu jusqu'ici. On vous a
traîné dans l'herbe parce que vous êtes
lourd et que lui c'est un vieux et que moi,
pas vrai, je ne suis qu'une femme. Regardez, il y a encore la trace dans l'herbe.

C'est vrai, il y a dans le pré une large
piste d'herbe couchée. Panturle est au bout
comme un char au bout de son chemin.

— Ça vous a donné de la peine, il dit ?

— Oui, bien sûr, vous êtes lourd...

Elle continue :

— ... vous êtes lourd, mais on vous a
tiré par les bras; les jambes traînaient,
puis on a fait du feu, vous sentez.

On sent le thym brûlé et la souche de
chêne.

— On a essayé de vous sécher. Et puis,
vous avez commencé à respirer. Alors, il a
dit : « Laissons-le, on va dormir. » Lui, il
s'est mis à dormir tout de suite. Moi, ça
n'a pas été possible, je suis venue voir
comment vous alliez, et vous avez bougé.
Voilà.

Ça lui paraît à la fin malhonnête d'être

étendu tout du long devant cette femme. Il
essaye de se dresser. Il a eu du mal dans
son épaule, puis dans sa hanche; puis, il
s'est aperçu que c'est du mal de pas grand
chose et il s'est trouvé assis.

— Ah ! ça va mieux, il a dit; ça va
mieux comme ça.

La femme est un peu plus petite que lui.
Il baise la tête pour la regarder, et elle, elle
lève sa figure pointue.

Il y a beaucoup de lune, de cette façon
sur elle.

Elle demande :

— Et alors, tel que vous êtes, vous êtes
de par là ou vous venez de loin, ou d'ailleurs, comme nous ?

— Je suis du pays, dit Panturle.

— De celui où on est ?

— Pas tout à fait, d'un peu plus à gauche. De là, tenez, dit-il au bout d'un moment, après avoir reconnu la masse noire
de la colline; de là... et il tend son doigt.

— D'Aubignane.

— D'Aubignane ? On dirait pas. Il
n'y a plus personne.

— Que si, y a moi; vous étiez devant
ma maison.

— Ah ! c'est celle-là du sang ?

Elle a un recul vers l'herbe et l'ombre
de l'herbe. Ses mains sont cramponnées
à ses genoux. Elle murmure :

— Il y avait du sang sur la porte; on a
cru a un malheur et on a couru…

Il passe sur le silence un grand coup de
vent plein de l'odeur des aubépines.

— J'écorchais un renard, dit Panturle.

— Ah, c'est ça ?

— Oui.

— Quand on est seul, dit-il enfin, on
est méchant; on le devient. J'étais pas
comme ça avant… Ça doit être depuis que
je suis seul, et c'est une affaire du temps
aussi, ce temps de chaud ça m'a fait quelque chose. Autrement ce n'est pas mon
naturel.

Elle le regarde.

— Non, ça ne semble pas que ça soit
votre naturel.

Panturle a un long frisson qui le
secoue.

— Vous avez froid ?

— Non, mais c'est toute cette étoffe mouillée qui prend ma chaleur...

Il a encore quelque chose à dire. Il hésite un petit moment, puis ça lui semble tout simple et tout bon et il ajoute :

— Je vais me mettre nu, ça sera mieux.

Et elle dit :

— Eh ! oui, faites.

Puis :

— Ne prenez pas mal.

Et lui, alors, il arrache son vêtement et sa chemise comme une peau et il reste là nu sous ses poils.

Il se couche dans l'herbe; il dit :

— Elle est chaude, touchez...

Elle touche l'herbe, là, à l'endroit où il est couché.

— Oui.

Et un peu sa chair, qui est quand même un peu froide.

— Vous n'aurez pas froid ?

— Oh, j'ai l'habitude; il fait bon tiède et puis, l'herbe est bonne, et l'air

est bon, et puis, je fais vite du chaud
moi. Tenez, touchez déjà.

Il lui prend la main et il l'applique sur
sa poitrine, là où ça fait la bête qui tremble.

Et elle a senti le grand gonflement avec
le mouvement des côtes comme un panier
qu'on ouvre, le poil épais et, dessous en
effet, la chaleur.

— C'est vrai, elle a dit, et elle a retiré
doucement sa main.

Ils sont restés un moment sans rien dire.
Elle s'est même forcée pour parler un peu.

— On a tapé à votre porte; et vous, où
vous étiez ?

— J'étais dedans.

— Alors ? Vous n'avez pas répondu.
C'est pas brave, ça. Et pourquoi ?

— Oh, parce que...

— Alors vous êtes comme ça, vous ?
Et si on avait eu besoin ?

— Ça c'est vrai, mais j'avais honte.

— Et pourquoi ?

— Ça, pour le savoir ! J'avais honte,
voilà.

Elle le regarde nu, dans l'herbe, avec la
lune qui le baigne d'un côté.

— Mais pourquoi ? Voyez, c'est nous qui vous avons tiré de la cuve. Sans nous ?... Alors, vous êtes resté dedans tout fermé, dans les murs, à pas bouger, à nous écouter sans rien dire. On avait peut-être besoin de quelque chose. C'est de nous que vous avez honte ?

C'est ça qui fait asseoir Panturle, et c'est de là qu'il est parti, à parler. Il a pris la main de la femme dans sa main. Il parlait fort; la femme lui a dit : « Parlez doucement », en lui montrant, d'un geste de la tête, un coin d'ombre sous les saules où il semblait que quelqu'un était couché. Elle n'a pas retiré sa main. Au contraire, au bout d'un moment, il n'était plus besoin de la tenir; elle avait fermé ses doigts sur la main de Panturle comme sur un museau de bon chien. Et il parlait à voix basse :

— ... je suis serviciable plus qu'un autre...

Elle a fermé ses doigts sur la main de Panturle. Elle touche la peau qui est comme une écorce avec des verrues et des entailles. Une peau chaude ! Des fois selon ce qu'il dit, le gros index enjambe les petits doigts et les écarte, entre au milieu d'eux et serre. Des fois, c'est le pouce qui appuie là, au creux sensible de la paume comme s'il voulait la crever, et entrer, et traverser. Des fois, c'est tous les gros doigts qui serrent toute la petite main.

Ça fait chaud dans tous son corps comme si, d'un coup, l'été avec toutes ses moissons se couchait sur elle.

Il est sous la lune comme sous le canon d'une fontaine. Il a de gros muscles qui font de l'ombre le long de ses bras et sur ses hanches, et à l'épais de ses cuisses. Il a des poils comme des poils de chèvre noire.

Elle écoute : elle entend les coups sourds de son sang qui la foule à grands coups de talon.

Elle porte sa main gauche à travers la nuit pour tâter le beau poignet qui attache sa main droite. Il est noué comme un nœud d'arbre. Il remplit sa main gauche de nerf, de solide chair souple et chaude.

— ... je ne sais pas dire... tous ils ont

leurs femmes. Cette passion qui lui a pris
à la terre.. Cette passion !...

Elle s'approche un peu de l'homme.
Elle s'approche sans faire semblant, en se
penchant parce qu'elle n'ose pas encore
s'approcher bien carrément. C'est de la
solide chair souple et chaude, et dure à la
fois, ce qu'elle tient à pleines mains, ce
poignet d'homme qui l'attache à l'homme, ce poignet qui est un pont par lequel
le charroi du désir de l'homme passe dans
elle.

Il a senti qu'elle s'approchait; le nœud
de ses mains se serre, la grosse corde du
poignet vibre et il la tire vers lui. Elle
glisse dans l'herbe et la voilà.

Tous les réseaux de son sang se sont
mis à chanter comme la résille des ruisseaux et des rivières de la terre. Elle pose
sa tête sur les poils de la poitrine. Elle
entend le cœur et le craquement sourd de
ce panier de côtes qui porte le cœur comme
un beau fruit sur des feuillages.

Alors, ce poids d'eau qu'elle a sur les
épaules et qui est le bras de l'homme se

fait lourd. Elle se renverse dans ce bras
comme une gerbe de foin et elle se couche
dans l'herbe.

C'est, d'abord, un coup de vent aigu et
un pleur de ce vent au fond du bois; le
gémissement du ciel, puis une chouette
qui s'abat en criant dans l'herbe. Une
tourterelle sauvage commence à chanter.
— Voilà l'aube.
Ils disent ça l'un après l'autre sans se
regarder : ils ont maintenant de grands
corps calmes, des cœurs simples comme
des coquelicots.
Là-bas, sous les peupliers, la machine à
aiguiser est à l'ancre dans un pré d'herbe
tranquille.
Il ramasse ses braies; le velours est encore gonflé d'eau. Il tord sa chemise, puis
il se la noue sur le ventre, puis il met ses
souliers. Elle le regarde faire. Elle sait ce
qui va arriver : c'est tout simple.
— Viens, dit Panturle, on va à la maison.
Et elle a marché derrière lui dans le
sentier.

DEUXIÈME PARTIE

I

— Cette saloperie de terre... dit Panturle en entrant... pas moyen... c'est plus dur que la pierre. On l'a trop laissée d'abandon... elle est là, toute verrouillée; on ne peut pas seulement enfoncer le couteau.

Il regarde sa charrue : c'est une petite charrue de pauvre, une de ces charrues que l'homme tire en se renversant en arrière.

— Qu'est-ce que tu veux faire avec ça? Ça griffe juste un peu le dessus.

Arsule est dans le plein du souci avec cette nouvelle. Elle regarde Panturle, la charrue, et cette bosse de coteau qui se gonfle au delà de la fenêtre.

— Et alors?

— Oh ! alors, dit Panturle, tout compte fait, puisque, d'une façon ou de l'autre, il faut que j'aille là-bas pour la semence et voir pour Caroline, je vais y aller ce jour. Je passerai par chez Jasmin pour toucher le père Gaubert. Celui-là, il a le sort de la charrue. Je lui dirai qu'il m'en fasse une; il me la fera volontiers : c'est sa passion. Je demanderai à l'Amoureux s'il veut me prêter son cheval. C'est de bonne heure. Ils n'ont pas encore commencé, ça pourra faire. Tu verras.

— Si donc tu y vas de cette heure, dit Arsule, mets-toi un peu une chemise propre.

Le grand pétrin est rangé sous la fenêtre. La table est dans le coin, toute luisante, toute lavée, comme une grande roche carrée après la pluie. Le devant de l'âtre est net. Il y a trois assiettes pas pareilles sur la planchette de l'évier. Sur le manteau de la cheminée il y a une boîte d'allumettes. C'est de cette boîte que tout est art.

Avant, il battait briquet avec de la pierre noire et de l'étoupe ou de la moelle d'arbre. Ça prenait ou bien non. Fallait

un moment et de la patience, et des « saloperies de sort » pas mal. Arsule un jour
a dit : « Si on avait des allumettes... »

Panturle est parti de bonne heure par les
collines et, au moment où ça a été l'aube, il
était déjà sur la route, là-bas, de l'autre
côté, presque en vue du clocher de Vachères. Là, il a attendu le courrier. Il a arrêté la voiture et il a fait descendre Michel.

— Viens un peu, que je te dise quelque
chose : tu ne me vendrais pas cette peau
de lièvre?

Et le Michel :

— Ça peut se faire.

Il y avait dans la voiture le gros Sau-
teiron, celui qui vend des chevaux; il a
crié :

— Amène-là, ta peau.

Il en a donné six francs. Panturle a
dit :

— Ça va.

Et le Michel a ajouté :

— C'est pas cher; quand tu en auras
d'autres, garde-m'en une à ce prix. Je
veux me faire une casquette.

Panturle a donné les six francs au Michel :

— Voilà, tu m'achèteras des allumettes, des grosses boîtes.

— Pour tout ça?

— Oui. Je t'attendrai là, ce soir.

Comme ça, Arsule a eu ses allumettes. Elle a été bien contente. Elle les a placées dans le placard sec. Après ça, elle lui a fait ranger le pétrin qui est lourd. Puis elle a fouillé dans l'armoire, elle a sorti des pantalons et des vestes, et des chemises qui étaient du père de Panturle, pliés là depuis sa mort. Elle a vu ce qui en était bon. Elle a trouvé aussi des aiguilles et une vieille pelote de fil, et elle a dit à Panturle : « Va m'aiguiser les ciseaux. » Quand elle s'est dressée et qu'elle est sortie de la chambre, on aurait dit qu'on avait mis à sécher des feuilles de mûrier dans cette chambre. C'était tout répandu par terre. Mais elle n'avait pas le temps de reranger. Ça pressait. Elle est allée s'installer dans l'herbe avec tout un bouquet d'étoffe sous le bras

et quand le Panturle est revenu, il a trouvé
un pantalon tout rapiécé et prêt à mettre,
et une veste presque finie. Il a regardé la
veste. Elle avait des boutons chasseur, de
larges boutons de cuivre avec des images
de bêtes.

— Tu te débrouilles, il lui a dit.

Elle a trouvé aussi des vieux corsages et
des jupes à six tours, et des fichus, et elle a
travaillé pour elle. Elle a trouvé aussi dans
un pétrin de la chambre de derrière, un endroit où on n'allait plus, et heureusement
que le pétrin c'était du bon bois de chêne
de deux doigts d'épaisseur sans fissures,
sans quoi les rats... elle a trouvé, couchés
dans le pétrin comme du beau blé, trois
draps plus blancs que l'eau. Ça, ça l'a déci-
dée. Elle en avait envie depuis quelque
temps. Elle est descendue trouver Panturle.
Il fendait du bois.

— Tu sais pas ce qu'on devrait faire,
elle a dit ?

— Non, il a répondu.

— Et bien ! voilà : là où on couche, cette
paillasse en bas, c'est comme pour des bêtes, somme toute et ça ne me plait guère

à moi de coucher comme ça au vu de tout.

— Au vu de rien, il a repliqué; il y a rien et personne ici.

— Oui mais, elle a dit, ça ne fait rien, ça ne me plait guère. On devrait se mettre dans la chambre où il y a l'armoire, on serait plus à notre aise. Il y a un lit en bois tout démonté. Y a qu'à le reconstruire et puis charrier la paillasse. On serait mieux.

Ça s'est fait. Quand elle a ouvert le lit, le soir, ça a été blanc comme au cœur d'un lis. Elle avait mis les draps.

— Ça, alors, a dit Panturle tout ébahi !

Il a ôté son pantalon, il a ôté sa chemise aussi.

— Faut bien en profiter qu'il disait.

Il est entré dans les draps une jambe après l'autre, doucement.

— C'est rude comme du sable frais, c'est tout enlavandé ce drap. Dépêche-toi, Arsule, si tu en veux, je te vais tout prendre le bon de la toile raide, t'auras que la chiffe si tu tardes.

Une fois que Panturle, ayant ébranché

le cyprès posait sa brassée devant l'âtre,
elle a dit : « Non, le bois il faut le mettre
à l'écurie. Ici, ça me fait balayer et mal
dans les reins. Allez, vas-y. » Il y est allé et
ça a été tout réglé pour les jours d'après.

Une autre fois, de bon soleil, le plein été
étant venu, elle a fait boucher le ruisseau
Gaudissart avec des branches et de la boue,
elle a mis un drap au fond du ruisseau, un
drap maintenu par des pierres, bien plaqué
au fond de l'eau. Ça a fait comme une
grande cuvette toute propre. Et elle s'est
baignée. Elle s'est lavée du haut en bas
avec une poignée de saponaire. Le soir —
et ils étaient couchés — elle luisait comme
de l'or. Elle a dit : « Laisse-moi, tu sens
le sel pourri. » Elle l'a dit en riant, mais le
lendemain, Panturle est entré dans le ruisseau. Seulement lui, il n'avait pas besoin
du drap.

Et comme ça pour beaucoup de choses.

Puis, ils ont été inquiets, tous les deux,
à ne pas savoir de quoi. Inquiets au point
de trouver les matinées amères. C'était

dans l'air. Ça les remplissait d'amertume.
C'était surtout après les chasses de Panturle que ça venait. C'était surtout quand
il quittait sur la table le lapin étranglé,
raide comme une racine ou la caille écrasée
par le piège.

A ces moments-là, ni Panturle, ni Arsule ne soufflaient mot.

Une fois qu'ils avaient justement de
quoi, en cette viande, voilà qu'Arsule met
à bouillir des pommes de terre, en quan-
tité, et rien que ça, et qu'elle ne met que
ça dans les assiettes. Panturle a regardé les
pommes de terre, le lapin pendu au plafond
dans une serviette, le sang sur la serviette,
et les mouches. Il a regardé Arsule.

— Tu ne sais pas à quoi je pense, il a
dit ? Je pense qu'avec le fer qu'il y a en
haut au grenier, en l'aiguisant et en mettant un bon manche, ça ferait une bêche.
Je pense que, sur le devers de la pente, du
côté de Reine-Porque, il y a une belle pièce
qu'en mettant le feu aux genets ça ferait de
la terre à tout ce qu'on veut. Je pense
aussi que, peut-être je pourrai faire une
charrue...

— Ça, c'est des choses, a approuvé
Arsule.

— Tiens voilà ta chemise propre, voilà
un autre pantalon, tu veux la veste ?

— Non, il fait chaud. Ce qu'il me faudrait, c'est un sac, parce que, selon comme
ça ira là-bas, je prends le grain tout de
suite. Ici, c'est plus haut, ça peut se faire
avant. Donne-moi Caroline aussi, je vais
lui trouver un bouc.

Caroline est triste, là, devant le grand
jour de la porte. Elle n'ose pas sortir de
l'ombre de l'étable. Elle cligne des yeux.
Elle est maigre; elle a les flancs creux. Les
mouches font trembler la peau de son
ventre.

— Biquette, Biquette, appelle Panturle, et il fait avec la main le geste de donner de l'herbe. Tiens, tiens...

Elle ne bouge pas. Elle est là, butée contre le grand jour comme devant un mur.

Arsule la décide en imitant aves ses lèvres le bruit d'une caresse. Elle sort, elle
s'avance toute raide. Elle a l'air de regarder au-delà des choses comme les hommes
qui sont dans le rêve. Elle vient de mettre

sa tête contre le ventre de la femme. Elle
frotte ses flancs contre le flanc d'Arsule.
Un bon moment. Un long moment; jusqu'au moment où Arsule lui a dit :

— Va, la bique.

Elle a donné la chaîne à Panturle et Caroline a suivi.

C'est le début de l'après-midi; il fait bon
chaud malgré les premières nues rondes
qui passent en traînant leur ombre; c'est
de la nuée marine. Elle monte, l'ombre
suit comme l'empreinte d'un pas.

Le bois est tout taché de jaune. Vu de
Reine-Porque, on domine un peu; le Val
des Chats et les bas-fonds sont comme un
vieux chaudron de fer mal nettoyé et qui
se rouille. Le haut du ciel est vivant de
cet essor régulier des nues. En bas, contre
la terre, l'air est immobile; il est là, autour des collines et des arbres, chaud et
lourd comme de la laine humide.

Au bas du Val des Chats, une petite
brume dort sur les arbres comme une pla-
que de lait au fond du chaudron; quand on
se penche sur le creux, on sent une odeur

de champignon et de bois en train de
pourrir.

Une pie vient de quitter la branche du
peuplier. Elle plonge d'une aile habile
dans l'ombre glauque du sous-bois. Deux
feuilles mortes quittent la branche après
elle et tombent.

— Caroline, tu as fini ton jeu ?

A la chèvre qui tire encore sur la gauche pour écorner une bardane.

Panturle va par des chemins à lui.

Comme ça il est arrivé sur la ferme de
l'Amoureux, tout par un coup, au sortir
d'un coude de vallon, aux limites des
terres grasses, et, tirant la chèvre, il a
abordé à l'ombre des platanes, chez les
gens. Ça lui fait drôle de voir du monde :
là-bas, un qui charrue, un petit homme,
un petit cheval; là, un qui traverse la ja-
chère; là, un penché qui mouille sa pierre
à aiguiser les faucilles; une qui tire de
l'eau au puits; une qui étend du linge sur
une corde; un qui s'étire comme un chat
sur la porte du grenier; un qui râcle une
bêche... L'Amoureux est sous les platanes,

devant la ferme. Il allait prendre sa faux,
pendue à la branche maîtresse. Il a arrêté
son geste; il reste le bras en l'air. Il regarde celui-là qui vient avec une chèvre.

— Ah! bien celle-là, on peut bien dire :
« C'est de l'exemple ! Oh Panturle, je te
croyais mort ! »

— J'en ai pas envie.

— Ah bien, celle-là !

Le bras d'Amoureux est retombé sur
l'épaule de Panturle.

— Eh ! oui, dit Panturle.

— C'est pas de rire, fait l'Amoureux,
je le croyais. Alphonsine, viens un peu
voir, Alphonsine !

Elle étendait le linge et elle regardait
les deux hommes entre les linges qu'elle
étendait. Elle vient vite en secouant sa
grosse poitrine molle. Elle essuie ses mains
à son tablier.

Elle aussi n'en peut revenir.

— C'est vrai, on en a encore parlé il y
a pas longtemps. Et alors, vous allez boire
le coup !

Comme ce n'est pas de refus, elle
entre dans sa cuisine et on l'entend ouvrir

le placard. Elle revient au seuil, elle lève
la bouteille à la hauteur de ses yeux.

— C'est pas ça; attendez.

— Et donne la bonne au moins.

Enfin la voilà la bonne : une liqueur
d'hysope qui se détrempe si on veut, mais
que les hommes boivent pur :

— Garçons, garçons ! hèle l'Amoureux.

Les trois valets qui sont là et qui ont
déjà vu du coin de l'œil la boutcille, s'ap-
prochent.

Ils ont leurs verres. On trinque tous
ensemble. Alphonsine pense aux femmes :

— Tiennette, viens un peu toi aussi et
apporte-toi un verre.

— Alors, à la vôtre, dit Tiennette qui,
en retard, trinque seule contre tous.

— Ça, c'est le Panturle, dit l'Amoureux. Tiens, voilà un homme qui ferait
pour toi, et un beau !

— Elle pourrait plus mal faire, dit en
riant le Clodomir dont c'est la bonne amie.

Etiennette baisse sa tête qui est comme
une pomme rouge, rit en dessous, regarde
Clodomir entre ses cils; Clodomir lisse sa
moustache de maïs avec le crochet de son

index et le regarde en coin d'œil d'un regard qui s'amuse.

— Alors, où tu allais comme ça ?

— Juste ici.

— Alors, va bien.

— Voilà : c'est d'abord pour celle-là.
Il montre Caroline qui frotte son museau
contre lui. T'as pas un bouc ou t'en connais pas ? Elle peut plus rester comme ça
Ça la mine. Et puis, pour nous...

— Ça, de bouc, il y a toujours celui de
Turcan. Laisse-la là, je l'y ferai mener
demain par Etiennette.

— Et puis après...

— Attends...

L'Amoureux se tourne vers Clodomir.

— Aiguise aussi les deux faux.

L'homme a compris il se lève.

— Tu comprends, j'aime mieux qu'on
soit à parler de ça rien que tous les deux,
l'un à l'autre. On sait jamais. Tu sais, les
domestiques, ça ramasse comme ça dix
mots, une fois l'un, une fois l'autre, dans
les choses qu'ils entendent et ça leur fait
dix pierres à te jeter à la figure, après.
Vas-y.

— Voilà : je voudrais te demander aussi de la semence à blé. J'ai envie d'en faire un peu. Je te paye pas, je te le rends à la récolte. Et puis, dans quelque temps, quand tu voudras, j'aimerais que tu me prêtes ton cheval un jour. Ça, si tu veux, je te le payerai comme tu voudras. Avec des sous ou en grains.

L'Amoureux a réfléchi un moment.

— Ça peut se faire, il a dit à la fin. Combien tu en veux de blé ?

— Donne-m'en trois cents kilos d'abord, si ça va.

— Ça va.

— Fais-les moi porter demain matin jusqu'à Reine-Porque; la charrette y va; de là, je me débrouillerai.

— Entendu. Et le cheval ?

— Ça, c'est comme tu voudras, quand il sera libre.

— Ecoute, tu pourras le prendre... dans trois jours.

— Ça va ! Tu me rends bien service, l'Amoureux.

—— Tu n'as pas vu les petits, demande
Alphonsine ?

— Ils étaient là, y a un petit moment.

— Tiennette, vous avez vu les petits ?

— Non maîtresse.

— Et alors ?

Elle jette comme ça un coup d'œil tout
de suite sévère sur l'alentour. Il y a la rigole; il y a le puits; il y a les gros pièges à
renard tout posés, même en plein jour.

— Nano ! Nano ! Nano !

— Lison! crie le père.

Un moment de silence. Ils écoutent tous
les trois. Mais à la limite, les petits ont
répondu :

— Voui...

En même temps ils sortent de l'herbe
qui les cachait. L'aîné, Jean, mène sa
sœur Elise par la main. De l'autre main
ils tiennent, comme un cierge, un grand
calice de colchique :

— Ze m'avais fait mal, dit tout de suite
la fillette qui craint la gifle.

'Alphonsine est venue devant les deux
enfants avec une grosse miche de pain.

Elle fouille aussi dans les poches de son tablier.

— Tiens.

La petite fille tend la main et reçoit trois figues sèches et deux noix.

— Tiens.

Du côté du petit garçon qui avait la main prête et qui reçoit ses trois figues et ses deux noix.

— Et attendez.

Elle leur coupe le pain avec un grand couteau qui est comme une serpe. Elle s'est penchée sur la miche. Elle la tient entre ses seins et son ventre, et elle la coupe doucement, sans faire de miettes.

Panturle regarde le bon pain, gros et solide, le pain des champs, le pain de la farine faite au mortier de marbre; le pain, et de sa mie qui est rousse, on tire parfois une longue paille droite et étincelante comme un rayon de soleil.

D'un coup, il voit ce qu'il va faire. Ce qu'il va refaire, ce qu'il a commencé en venant ici déjà. Il comprend cette inquiétude qu'ils ont eue, cette ombre dans Arsule, belle à l'ordinaire comme de l'eau.

Ça passera. C'est sûr, maintenant. Il a
compris. Ça passera le jour où on posera sur
la table, là-bas, à Aubignane, dans la dernière maison, la miche de pain, chaude et
lourde, le pain qu'ils auront fait eux-
mêmes, eux trois : lui, Arsule et la terre.

Et d'un coup, comme Alphonsine se
tourne et qu'elle emporte le pain, il a un
élan.

— Alphonsine !

Il en a tout de suite un peu honte, maintenant qu'elle est revenue avec son pain.

— Tu sais pas, qu'il dit ? Je voudrais te
demander quelque chose. Je peux pas en
payant, mais je te le revaudrai. Donne-moi
une tranche de ce pain. C'est pas pour moi,
il ajoute parce qu'il voit que, déjà, elle le
tend et que l'Amoureux va dire : « Apporte
aussi les olives. » C'est pas pour moi. Je vais
te conter, puisque aussi bien ça se saura et
puisque aussi bien, c'est bien, somme toute.
J'ai une femme, là-bas, avec moi, et ça lui
fera plaisir :

— Prends-le tout, alors, dit Alphonsine.

De voir qu'on lui donne tout, ça lui fait

douleur, ça lui fait cligner les yeux comme
s'il mâchait du laurier.

— Je te le revaudrai.

— T'as qu'à faire ça si tu veux qu'on
se fâche.

Il n'a pas voulu partager leur « quatre
heures » et manger à la table.

— Je dois aller encore jusque chez Jasmin.

Mais il a demandé qu'on lui donne tout
de suite vingt kilos de blé de semence pour
emporter avec lui, pour les faire voir à Arsule, ce soir, pour qu'elle comprenne que
c'est parti maintenant, que c'est en train.

Et il a repris son chemin, avec la miche
sous le bras et le sac sur l'épaule.

La longue Belline est dans le clos à
compter ses canards, Elle est maigre
comme un cyprès et presque aussi grande.
Seulement, elle a un caraco bleu de ciel.

Ici, c'est déjà plus le même pays. C'est
sur un fond, l'eau suinte. Il y a un beau
pré et des saules; il y a un verger; il y a un

énorme bouleau qui devient comme de l'écume dès que le vent le touche; il y a une fontaine; il y a une bonne barrière bien solide qui entoure tout ça.. C'est de l'arbre et de l'herbe gonflée d'eau à en veux-tu en voilà.

Panturle s'approche de la barrière.

— Hé, Belline !

Elle tourne vers lui sa longue figure de cheval.

— Tu me reconnais ?

— Oui.

Elle ne fait pas de geste vers le loquet de la porte. Elle prend seulement tous ses canards sous la protection de ses yeux; ça se comprend vite, ça.

Il dit :

— Je voudrais voir le père Gaubert.

— Il est là-bas.

Elle montre la maison. Elle n'ajoute rien. Elle ramasse un gros escargot; elle appelle un canard qui à l'air de naviguer par mauvais temps sur le pré.

Ça va bien; Panturle attend un moment puis se décide pour la maison.

Le père Gaubert est près du poêle. Il est assis sur une chaise à dossier droit; ses deux mains sont appuyées sur sa canne; sa tête est appuyée sur ses deux mains.

Il a fait : Oh ! quand il a vu Panturle, puis il a essayé de relever sa tête et il y a mis un moment; enfin, il y est parvenu.

Panturle rit et lui tend la main.

— Oh, père Gaubert, oh, depuis le temps. Et alors, ça se fait bien, là, autour du poêle ? Ah, monstre de nature, vous l'avez trouvé le bon travail, vous !

Mais, les deux mains de Gaubert restent posées sur la canne. Elles tremblent. Il tourne à grand effort sa tête et lève les yeux jusqu'aux yeux de Panturle.

— Prends-la, toi, ma main, là-dessus; prends-la, ça me fera plaisir; moi, je peux plus.

Il a posé d'un coup le sac et la miche, et il s'est précipité, et il l'a prise, cette main qui est comme du linge mouillé, entre ses bonnes mains solides.

— Et alors... Gaubert, et alors non ? Comment ?

Elles sont molles et mortes, et les bras

sont morts. Et le Panturle touche ça, et
c'est comme des cordes sans vie, et dans les
yeux de Gaubert il y a le regard de la bête
prise au piège. Et maintenant, de plus
près, il sent l'urine.

— Et alors, oui, tu vois, c'est comme
ça.

— Ça vous a pris quand ?

— Un matin, quelque chose de dénoué
sous mes reins. La Belline a dit : « C'est
des manières, essayez. » J'ai essayé. Rien
à faire. C'était du bon.

Panturle est toujours là à tenir les mains
mortes de Gaubert. Il est là, penché sur lui
à le regarder dans les yeux. Il voudrait
donner un peu de force à ces mains.

— Et Jasmin, qu'est-ce qu'il a dit ?

— Rien.

Panturle n'en peut pas revenir de cette
force disparue, de cet homme sans cesse en
travail et qui est là comme une pierre.
Gaubert le premier, s'est repris.

— Et alors, comment ça va que tu es
venu te perdre jusque par ici ?

Panturle n'ose plus dire, mais c'est une

chose qu'il a tant désirée. Il y a tant pensé
à cette charrue, tout le jour.

— Voilà : je suis venu... j'étais venu...
pour vous voir et puis, je m'étais dit :
« Peut-être, ça lui fera plaisir de reprendre
un peu son métier. » Je ne savais pas, vous
comprenez. Alors, j'étais venu pour vous
dire : « Faites-moi une charrue. » Mais...

— Oh, bien sûr !...

Un moment on n'entend plus que la
pendule qui compte des grains. Le soleil a
réussi à passer sous le verger. Un rayon
traverse la vitre et se casse dans un seau
d'eau.

— Ça ne te semble guère, toi, dit Gaubert; tu es plutôt chasseur. Il te vaudrait
mieux un sabre.

— La chasse, c'est trop un jour bon, un
jour mauvais : du bricolage, tout bien
pensé. Et puis, c'est jamais que de la
viande. J'ai trouvé une terre, de l'autre
côté de la butte, vous savez, ça a l'air profond et bien gras. Il m'a pris l'envie d'y
faire du blé.

— C'est drôle que ça t'ait pris juste
maintenant.

— C'est que je ne suis plus seul : j'ai
une femme. Un ménage, ça ne peut pas
vivre de chasse. Depuis qu'elle est là, j'ai
besoin de pain, et elle aussi. Alors...

— C'est naturel et c'est bon signe.

— Ah, mais, qu'est-ce qu'il y a, père
Gaubert ? Vous pleurez ? On vous a fait
quelque chose ? C'est la Belline, dites ?
Vous voulez que j'en parle à Jasmin, dites ? Qu'est-ce que vous avez ?

Si Gaubert avait eu les mains libres, il
les aurait cachées ces trois larmes qui ont
débordé de ses yeux; mais ses mains sont
clouées sur la canne et le visage ne peut pas
se cacher, et là, la tête droite, il pleure
avec des yeux éperdus.

Et, au bout d'un moment, que Panturle
n'osait plus rien dire, Gaubert a reniflé
comme un petit enfant.

— Non, c'est pas la Belline, cette fois;
ça a été plus fort que moi. C'est parce que
je vois que la terre d'Aubignane va repartir. L'envie du pain, la femme, c'est ça,
c'est bon signe. Je connais ça, ça ne
trompe pas. Ça va repartir de bel élan et ça

redeviendra de la terre à homme. Seulement, qui sera là-haut dans ma forge ?

— Ah, ça, Gaubert, c'est pas des choses pour la réflexion des vieux. Si c'est de ça que tu pleures. Tu savais bien qu'un jour il faudrait débarrasser le plancher pour un autre; c'est le sort. La seule chose qui doit donner le regret, c'est que celui qui viendra ne saura pas faire les charrues comme toi. Toi, maintenant, tu as gagné tes galons. Tu as assez pétri le fer; ta part, c'est le verger et l'ombre, et la maison de ton fils...

— Tu me dis « tu » maintenant, comme avant.

— Oui.

— Pourquoi ?

— Je ne sais pas.

— Mettons que tu ne le saches pas, mais ça montre que tu as quand même compris pourquoi j'ai pleuré. Ma part, c'est là, dans ma chaise, comme un épouvantail de figuier, à ne pas pouvoir bouger un doigt pour chasser les mouches. Et quand je suis à un endroit où je gêne parce qu'on veut faire la cuisine, ou parce qu'on

veut balayer, Jasmin prend la chaise d'un
côté, Belline prend la chaise de l'autre et
on me porte comme un meuble. Ah ! les
premiers temps que j'étais ici, oui, ma
part, c'était l'ombre et le verger, et la maison de mon fils, et le tout petiot. J'y appre-
nais à faire parler les pies en les tenant
sous le pot de fleurs. J'y faisais des tours.
C'était du rire. Maintenant, c'est la pu-
nition. J'aurais pas dû quitter le village.
La Mamèche ?...

— Elle est partie un beau soir ; j'ai
plus su.

— Oui ? Eh bien, c'est quelque chose
qui a taillé le vieux bois. Ça va repartir.

Là, ils sont restés un bon moment tran-
quilles à regarder le fond de leur pensée.
Puis Gaubert a dit :

— Panturle, je te la ferai, cette charrue, ou ça sera presque pareil. Je veux que
ça soit une des miennes qui commence.
Ecoute : tu vas voir. Regarde un peu, d'a-
bord, si la Belline est toujours au verger.

— Oui, elle est au fond, là-bas, vers les
pruniers.

— Ça va bien. Passe le manche du balai

sous l'armoire. Là. Tu sens quelque chose
de dur ? Tire.

C'est un soc.

C'est un soc ; Un soc nu comme un couteau. Un soc têtu, aiguisé, arrogant, avec
le flanc creux des bêtes qui courent à travers la colline; une belle peau sans un pli.
On le tiendrait en équilibre sur le poing.

Gaubert siffle entre ses dents :

— ... de garce; il est de la bonne race,
celui-là. Oui, il est de bonne race.
C'est le dernier. Je l'ai encore fait à Aubignane. Prends-le, mets-le dans ton sac;
si la Belline entrait elle en ferait un
malheur.

« Mets-le dans le sac puis écoute, parce
que le soc, c'est beaucoup mais ça n'est
pas tout.

« Tu iras à la forge là-haut. Tu sais que
les derniers temps, je couchais en bas près
de l'atelier. A cet endroit il y a un placard,
un grand placard; tu l'ouvriras.

« Tiens, prends la clef, là, dans la poche de mon gilet. Prends la clef; après tu
pourras la jeter; elle ne servira plus. Là,

dans ce placard, tu trouveras un bois d'a-
raire tout prêt, tout fini, tout tordu dans
les règles. Un bois de race aussi; le bois
qu'il faut pour ce soc. Tu monteras le soc
avec les vis et les boulons qui sont aussi
dans le placard pliés dans un morceau de
journal. Maintenant, si c'est pour labourer
là où tu m'as dit, sur la pente de derrière
le village, là où c'est dur, il faudra tordre
encore un peu le bois, pas beaucoup, un
peu, juste un peu tordu, comme une cuil-
lère à café, tu sais ? Pour ça, tu mettras le
bois à tremper trois jours au trou du cyprès.

« Trois jours, pas plus, et tords lentement, en pesant sur ta cuisse, mais avant,
essaye la charrue telle qu'elle est.

« J'aimerais mieux que tu ne la touches
pas.

Panturle regarde le beau soc.

— Non, il dit, j'ai pas envie de tout
démolir ! Tu dis que les boulons sont dans
un papier ? Je la laisserai telle que.

« Comme tu l'as faite elle ira. S'il faut
forcer un peu plus, je forcerai mais je la
laisserai telle que. Ce que je veux, c'est
du blé, c'est faire pousser du blé sur toute

la bosse de Chènevières, c'est mettre du blé
dans Aubignane jusqu'au ras des maisons. C'est tout remplir avec du blé, tant
que la terre peut en porter.

Gaubert est immobile sur sa chaise, les
mains mortes, croisées sur la canne. Il fait
effort de la tête.

— Elle peut en porter, notre terre,
crois-moi, elle peut en porter une grande
épaisseur. De mon temps c'était renommé.

« Le jour où un homme dur s'y mettra,
alors, ça sera une bénédiction de blé...

La Belline est entrée par la porte de
derrière. Elle a un canard sous le bras et
elle lui caresse les plumes.

— Enfant nous venons, enfant nous
tournons, elle dit.

C'est la nuit quand Panturle est de retour. La porte est fermée. Il cogne du
poing.

— Qui c'est? demande la voix d'Arsule.
— Moi.
Elle ouvre.

— Je commençais à languir, tu sais.

Il quitte son sac de blé sur la table.

— Regarde, il dit. Regarde, le temps n'est pas perdu. Et puis ça, regarde, regarde ça.

Il dresse vers le jour de l'âtre le beau soc nu comme un couteau.

— Oh ! elle fait, ça c'est beau ; on dirait un devant de barque.

II

Ils sont allés chercher le blé. L'Amoureux les attendait à Reine-Porque. Les sacs
étaient déchargés près de la fontaine.

— Tu vois, il a dit à l'Amoureux, ça
c'est ma femme.

Et à Arsule :

— Ça tu vois, c'est un ami, ah oui !

— Il faudra venir un jour à la maison,
a dit Amoureux, ça fera plaisir à Alphonsine.

Et il est reparti avec sa charrette.

Il y avait six gros sacs de blé près de la
fontaine.

Panturle s'en est chargé un sur le dos.

— Je vais et je reviens; toi, tu gardes
les sacs pendant.

Comme ça jusqu'au dernier.

Avec celui-là sur l'épaule il a dit :

— On a gagné la journée. On revient par le plateau. J'en ai assez de monter, descendre.

Il y a eu, la nuit d'avant, une pluie brusque et lourde. Elle a écrasé le bois. Des feuilles sont tombées; l'os des branches nues perce la peau des feuillages jaunis. Sur le plateau, l'herbe est écrasée aussi. Elle est couchée en tourbillons dans tous les sens.

— Nous sommes devant la porte de l'hiver, dit Arsule.

Elle suit Panturle. Ils sont sur le bord de ce plateau où elle a eu à la fois tant de peur et tant de chaleur d'amour. Elle y pense. Elle pense que c'est le vent qui a été son marieur. Sa vie n'a commencé que de là. Tout « l'avant » ne compte plus guère. Elle y pense de temps en temps comme on pense à du mal dont on s'est guéri. Et quand elle y pense, elle a tout aussitôt besoin de regarder Panturle. Elle vit avec

tranquillité enfin, et de la joie de toute es-
pèce, on peut bien dire.

C'est le plateau où, toute la nuit, la
pluie a foulé l'herbe.

Tout soudain, Panturle s'arrête et jette
son sac à terre. De ses bras en croix, il
barre le chemin et il tient Arsule derrière
lui :

— Reste là.

Il s'avance de trois pas dans l'herbe et il
regarde à ses pieds.

Il a l'air de réfléchir. Il revient, charge
le sac, prend Arsule par le bras et l'en-
traîne à travers les herbes, d'un autre
côté.

Le restant du jour, il a été tout drôle et
inquiet. Il ne se décidait à rien. Il a mesuré le grain, mais, on le voyait bien, en
pensant à autre chose. Puis il a tout lâché
et il est parti. Il est monté au village. Il
a pesé de l'épaule contre la porte, à la maison de la Mamèche; la porte s'est étalée à
plat sur le plancher et il est entré.

Il a essayé de déplier les draps qui sont
sur la table.

C'est de la charpie. Entre les rats et les
autres bêtes, ça les a bien arrangés, ces
draps.

Il est redescendu à la maison par les guê-
rets de derrière et il a profité qu'Arsule
allait à l'eau pour entrer vite, vite. Il a
fureté. Il s'est demandé :

— Où elle les met ?

Enfin, alassé, il est venu à leur lit qui
est fait; il l'a défait d'un grand revers de
main, il a pris le drap dans lequel ils se
couchent, lui et Arsule, et, comme Arsule
rentrait en bas dans la cuisine, il a sauté
par la fenêtre avec le drap roulé sous son
bras.

Il est allé sur le plateau. Puis, il est revenu avec quelque chose de plié dans le
drap. Un petit paquet comme un fagot de
courtes branches bien sèches, parce que ça
tinte, et quelque chose de rond, dessus, qui
ne s'équilibre pas, comme une courge
d'eau et qui a tendance à glisser. Autour de
ça il a entortillé le drap en quatre ou cinq
tours.

Il est venu au puits communal. Et il a
fallu qu'il pousse son grand corps à travers

les épines avant d'attraper la margelle. Il
a noué le paquet. Il a noué aussi deux grosses pierres dans le paquet. Il a regardé en
bas l'eau noire qui luit comme du fer neuf.

Puis il a jeté le paquet et il a regardé
tant que tout n'a pas été mangé par l'eau.

Il est resté un bon moment appuyé sur la
margelle et il s'est dit mais à haute voix :

— Somme toute, c'est là qu'elle aurait
voulu.

Le soir, il s'est mis sur la pierre de l'âtre
et il s'est mis à parler.

— Une d'ici qui aurait eu plaisir à nous
voir ensemble.

— Qui ça, a demandé Arsule ?

— Une d'ici. On y disait la Mamèche.
Elle était tout le temps à me dire : « Prends
femme, prends. » Tant qu'elle avait dit :
« Et si tu veux, je vais te la chercher. »
Tant qu'elle a dû partir pour y aller.

A ça Arsule n'avait que répondre, sauf
à tirer sa petite moue.

— ... tant qu'elle a dû partir pour y
aller et qu'elle y est morte.

Après ça, il a fallu tout dire, et le drap arraché du lit, et tout.

Arsule s'est assise à côté de lui et elle se serre contre Panturle parce que la mort c'est, quand on en parle, une chose qui vous gèle en entier. Puis elle s'est mise à réfléchir.

— Sur le plateau, tu dis ?

— Oui.

— De son vivant, une toute noire, avec des choses pas claires dans son geste ?

— Oui, fait Panturle étonné.

— Bon. Je vais te dire. Alors c'est moi qu'elle est allé chercher. Si on est passé à Aubignane, ce printemps, c'est qu'une chose nous a poussé vers ce pays, hors de notre route, avec de la peur. C'était elle qui se dressait dans les herbes. Elle m'a fait venir ici de force. Je ne regrette pas, mais c'est la vérité vraie.

Elle a tout raconté par le menu à Panturle. Tout, depuis le commencement jusqu'à la fin et il a eu alors un petit sourire parce qu'il a compris l'enchaînement des choses.

— Ça va bien.

Il a tourné la tête et il a regardé le blé mesuré.

Pendant trois jours, ça a été comme sur un navire. Pas de répit. Toujours la main sur quelque chose. Le premier jour, tout le temps, c'étaient des : « Arsule, donne-moi le tournevis. » Arsule, en fouillant, t'as jamais vu une boîte comme ça où il y avait des outils ? »

Et puis, à la fin, vers le soir, il a crié : « Arsule, viens voir. » Et voilà : devant la maison, dans l'herbe fraîche, posée sur le pré comme une sauterelle, il y avait la charrue toute prête.

— Avec ça, a fait Panturle...

Le lendemain, on est allé brûler les herbes sur le terrain. Il a fallu surveiller que ça n'aille pas plus loin.

Le jour d'après, la nuit d'après, et jusqu'à l'aube, ça a presque été les bruits d'une ferme véritable et Panturle n'en a pas dormi.

Il y avait le cheval, en bas, dans l'écurie. On l'avait mis à la place de Caroline. On

l'entendait taper du pied, secouer la
chaîne, se gratter aux ridelles, et même
hennir à la tremblade comme une trom-
pette parce que c'était un cheval entier qui
prenait l'odeur d'une chèvre pour l'odeur
d'une jument.

A force de regarder vers la fenêtre, dans
la chambre pleine de nuit, il a vu l'aube
derrière les vitres. Elle s'est éclairée tout
d'un coup, elle est rose; ça veut dire qu'il
va faire beau. Panturle s'est levé et Arsule
qui semblait dormir, le nez contre le mur
s'est tournée et a dit :

— Je vais aussi. Je voudrais voir.

— Attends un peu. Avec ce cheval fol-
let, dès qu'il sent une femme près de lui il
fait l'andouille. Je vais l'atteler. Tu vien-
dras là-bas tout à l'heure.

Voilà, ça va commencer.

Il fera tirer droit jusque là-bas aux buissons qu'il a laissés exprès comme marque,
et ça sera le sillon maître. Tous les autres
s'allongeront contre celui-là. Et quand,
depuis ici, jusque là-bas au jeune cèdre ça
en sera tout couvert, quand ça sera comme

une toiture de tuiles, alors ça ira. En avant !

Il a retrouvé son instinct de tueur de bêtes pour enfoncer brusquement le coutre aigu dans la terre. Elle a gémi; elle a cédé. L'acier a déchiré un bon morceau qui versait noir et gras. Et, d'un coup, la terre s'est reprise; elle s'est débattue, elle a comme essayé de mordre, de se défendre. Tout l'attelage a été secoué, depuis la mâchoire du cheval jusqu'aux épaules de Panturle. Il a tout de suite regardé le soc; il est toujours entier et c'est pourtant contre une bonne pierre qu'on est venu.

— Tu y passeras quand même dit Panturle les dents serrées.

Maintenant le grand couteau qui ressemble à un devant de barque navigue dans la terre calmée.

— Allez, le Nègre, tire un peu, feignant de bonsoir.

Ça va tout allègre et tout clair. Et voilà le soleil qui a sauté les collines et qui monte. Et voilà Arsule qui a sauté le ruisseau et qui monte.

III

La diligence de Michel s'arrête maintenant sous le devers de Vachères à dix
heures. Il a trouvé un moyen. On ne sait
pas lequel, mais le fait est que c'est dix
heures.

— On va attendre le père Valigrane.

Michel se met à jouer de la trompe. On
est sous l'ombre que donne la haute église
mangée par le lierre. Voilà Valigrane qui
descend la route comme un cadet; le voilà
même dans le sentier qui raccourcit les
détours. Il se dépêche; s'il se dépêche tant
il va tomber.

— Eh ! ne vous pressez pas, on a le
temps. Y a pas le feu !

— Je ne voulais pas te faire attendre.

— Et alors, on n'est pas bien ici à
l'ombre ?

Valigrane s'essuie la peau de la tête avec
un grand mouchoir tout propre.

— Vous entrez dedans ou vous venez
ici, demande Michel en montrant la place
à côté de lui, sur le siège.

— Je vais à côté de toi, au bel air. Là
dedans tout enfermé, moi, ça ne me dit
guère.

Les chevaux ont commencé la lente
montée en serpent en remuant toutes les
clochettes du collier. Il fait chaud. On est
en août.

Michel qui sait pourquoi Valigrane va à
Banon dit :

— Y aura du monde.

— Oui, c'est ce que je disais à la femme; ça tombe juste le jour de la foire.

— Ça les dérange mais, avec les chaleurs, on pouvait pas le garder un jour de
plus. C'était pas possible, ça commençait
déjà à sentir. Moi, je leur ai dit : « Vous
n'avez même pas besoin de fermer. » Ils
ont une sortie sur le derrière de la maison.
C'est pas la peine de fermer le café juste le
jour où ça travaille. Le corbillard vient

derrière la maison, on charge et on part.
Devant, on voit rien. C'est pas vrai, ça ?

— Oh ! de fait que… C'est embêtant,
juste ce jour-là où ils peuvent gagner une
pièce de cent à cent cinquante francs (c'est
pas si souvent) de fermer et d'envoyer les
clients chez les autres. Il en a bien assez du
malheur déjà…

— C'est ce que j'ai dit.

— C'est ce qu'il dirait s'il pouvait parler encore; allez : sans tambour ni trom-
pette… C'était quand même un brave
homme, l'oncle Joseph.

On arrive à un tournant d'où on voit
tout le pays d'en bas. Ça n'est pas doré de
blé comme d'habitude, mais seulement
jaune sale et à travers le jaune on voit la
terre.

— Ah ! cette année par exemple !…

— Ça a fait ça, aussi, chez vous ?

— Oui. Nous, d'habitude, on avait cinquante charges; on en aura peut-être cinq
et du mauvais, et avec dix fois plus de tra-

vail, et plus pénible que d'habitude; alors,
tu vois...

— Oui, c'est pareil partout.

— Tu peux dire : à Reillanne, à Forcal-
quier, à Manosque. On a voulu faire de
ce blé d'Inde; c'était nouveau encore ça,
et tu vois maintenant.

— Et puis, il y a eu le gros orage.

— Ah oui, bien sûr, et il en a tenu de
l'étendue, cet orage !

— Et il en a fait du mal !

— Oui, il en a fait du mal, reprend le
père Valigrane qui a bien regardé au dedans de lui des souvenirs de champs de blé,
et s'il en a tant fait, c'est à cause de la
mode.

« Ça, quand ça se mêle des gens, ça fait
pas mal d'imbéciles, mais quand ça se mêle
des plantes et des choses de la plante...

« ... Je vais te dire : moi, je suis allé
dans un pays, je te dirai pas où, tu saurais
de qui je veux parler. Y avait un de ceux
qui s'y entendent sur les choses de la terre,
ou, du moins ils le disent, un professeur,
quoi, et payé par le gouvernement. Il avait
loué une petite ferme. Elle était proprette,

ordonnée, bien en ligne et régulière de belle
verdure grasse. De la vigne, des mûriers,
un petit pré, des cerisiers… tu vois. Bon.
Mon professeur il s'y met. Ah pour ça, il
s'y met. Il tombait la veste, il tombait le
gilet, il retroussait les manches et en
avant. Au bout d'un an ça a été un désert.
Un désert, je te dis. Il leur avait pris un
dégoût, à tous ces arbres… ça faisait peine.
Plus de cerises, plus de vignes, plus de pré.
Tout ça, ça vomissait sa vie. Et un peu de
ci, et une pincée de ça, et cette branche
doit aller de là… il mettait les raisins dans
des petits sacs de papier; oui c'est comme
ça. Maintenant, si tu voulais la reprendre
sa ferme, on te la donnerait que tu la voudrais pas : c'est tout mort. Tu le vois cet
homme, le médecin des racines, avec son
gros livre à la main ? Ça s'apprend pas
dans les livres, ça.

— Vous en savez toujours des nouvelles,
vous.

— Non, voilà ce que je veux dire : tu
as parlé de l'orage. Si on avait fait du blé
de notre race, du blé habitué à la fantaisie
de notre terre et de notre saison, il aurait

peut-être résisté. Tu sais, l'orage couche
le blé; bon, une fois. Faut pas croire que
la plante ça raisonne pas. Ça se dit : bon,
on va se renforcer, et, petit à petit, ça se
durcit la tige et ça tient debout à la fin,
malgré les orages. Ça s'est mis au pas.
Mais, si tu vas chercher des choses de l'autre côté de la terre, mais si tu écoutes ces
beaux messieurs avec les livres : « Mettez
de ci, mettez de ça; ah ! ne faites pas ça. »
En galère, voilà ce qui t'arrive !

— Ça, Valigrane, je suis de ton avis.

— Remarque qu'on s'y laisse tous prendre. Moi, l'enfant a voulu; le gendre a voulu. « Vous voulez de ce blé ? Mettons de ce
blé. » Et puis maintenant, nous faisons
Jésus devant le grenier, et puis maintenant, nous voyons, et puis maintenant,
ah ! le mistral à de quoi jouer du tambour
avec toutes les granges vides. Et voilà. Si
au moins ça servait de leçon.

Déjà la route est plus doucement penchée sur la colline. Déjà, on voit le bord du
bois là-haut et l'herbe sèche du plateau.

— Qu'est-ce qu'il a ton cheval gris ?

Le cheval de gauche tourne la tête vers

le vallon qui troue le bois; le voilà qui secoue le garrot et qui allonge le cou, et qui
hennit vers le fond.

— Ah ! ça lui prend encore; laissez-le
s'amuser. Vous ne savez pas comment ça
lui a pris ? Ça a été une fois vers mai...
De là, vous savez, on voit la butte d'Aubignane, tenez, là-bas. On montait comme
ça; il se met à chanter. Cette fois-là, je
n'ai pas attaché d'importance. Le jour
d'après, encore, le jour d'après, encore, et
toujours au même endroit; et il tournait la
tête toujours du même côté. Je me dis :
« Qu'est-ce qu'il peut bien y avoir par
là ? » Je regarde. Là-bas, à Aubignane où,
d'habitude, c'était roux comme du maïs,
c'était vert de verdure, d'une belle verdure
profonde. Elle avait vu ça, cette bête.

— Ça fait attention à des choses...

— Oui.

Voilà le plateau, voilà le trot des chevaux et un peu d'air moins chaud.

— Tenez, vous voyez, fait Michel, là
comme partout.

Il montre du fouet un chaume entre les

herbes et de petits gerbiers comme des tau-
pinières.

Malgré le mauvais an, le grand marché
d'été a rempli la villotte. Il y a des hommes
et des chars sur toutes les routes, des femmes avec des paquets, des enfants habillés
de dimanche qui serrent dans leurs poings
droits les dix sous pour le beignet frit. Ça
vient de toutes les pentes des collines. Il
y en a un gros tas qui marche sur la route
d'Ongles, tous ensemble, les charrettes au
pas et tout le monde dans la poussière; il
y en a comme des graines sur les sentiers
du côté de Laroche, des piétons avec le
sac à l'épaule et la chèvre derrière; il y en
a qui font la pause sous les peupliers du
chemin de Simiane, juste dessous les murs,
dans le son de toutes les cloches de midi.
Il y en a qui sont arrêtés au carrefour du
moulin; ceux de Laroche ont rencontré ceux
du Buëch. Ils sont emmêlés comme un paquet de branches au milieu d'un ruisseau.
Ils se sont regardés les uns les autres d'un
regard court qui va droit des yeux aux sacs
de blé. Ils se sont compris tout de suite.

« Ah ! qu'il est mauvais, cet an qu'on est
à vivre ! »

« Et que le grain est léger ! » — « Et que
peu il y en a ! »

« Oh oui ! »

Les femmes songent que, là-haut sur la
place, il y a des marchands de toile, de ro-
bes et de rubans, et qu'il va falloir passer
devant tout ça étalé, et qu'il va falloir ré-
sister. D'ici, on sent déjà la friture des gau-
fres; on entend comme un suintement des
orgues, des manèges de chevaux de bois;
ça fait les figures longues, ces invitations
de fête dans un bel air plein de soleil qui
vous reproche le mauvais blé.

Dans le pré qui pend, à l'ombrage des
pommiers, des gens de ferme se sont assis
autour de leur déjeuner. D'ordinaire, on
va à l'auberge manger la « daube ». Aujourd'hui, faut aller à l'économie.

Ça n'est pas que l'auberge chôme; oh !
non : à la longue table du milieu, il n'y a
plus de place et déjà on a mis les guéri-
dons sur les côtés, entre les fenêtres, et les
deux filles sont rouges, à croire qu'elles
ont des tomates mûres sous leurs cheveux,

et elles courent de la cuisine à la salle sans
arrêter, et la sauce brune coule le long de
leurs bras. Ça n'est pas qu'on ait le temps
de dire le chapelet à l'auberge, non, mais
ceux qui sont là c'est surtout le courtier
du bas pays, le pansu qui vient ici pour
râcler le pauvre monde parce qu'il sait
mieux se servir de sa langue et qu'il veut
acheter avec le moins de sous possible. Pas
du beau monde. Sur la place, les colpor-
teurs et les bazars ont monté des baraques
de toile entre les tilleuls. Et c'est répandu
à seaux sous les tentes : des chapeaux, des
pantoufles, des souliers, des vestes, des gros
pantalons de velours, des poupées pour les
enfants, des colliers de corail pour les filles,
des casseroles et des « fait-tout » pour les
ménagères et des jouets et des pompons
pour les tout-petits, et des sucettes pour les
goulus du tété dont la maman ne peut pas
se débarrasser. Et c'est bien pratique. Il y
a des marchands à l'aune avec leur règle
de bois un peu plus courte que mesure.

« Et je vous ferai bonne longueur; venez
donc ! »

Il y a les bonbonneries, et les marchands

de sucrerie et de friture avec des gamins
collés contre comme des mouches sur pot
à miel; il y a celui qui vend des tisanes
d'herbes et des petits livres où tout le mal
du corps est expliqué et guéri, et il y a,
près de la bascule à moutons, un manège
de chevaux de bois bariolés et grondeur qui
tourne dans les arbres comme un bourdon.

Et ça fait, dans la chaleur, du bruit et
des cris à vous rendre sourds comme si on
avait de l'eau dans les oreilles. Chez Agathange, on a laissé les portes du café ou-
vertes. Il en coule un ruisseau de fumée et
de cris. Il y a là-dedans des gens qui ont
dîné de saucisson et de vin blanc autour
des tables de marbre et qui discutent maintenant en bousculant les verres vides du
poing et de la voix. Agathange n'en peut
plus. Il est sur ses pieds depuis ce matin.
Pas une minute pour s'asseoir. Toujours
en route de la cuisine au café et il faut passer entre les tables, entre les chaises. Voilà
celui-là du fond qui veut du vermouth
maintenant. Va falloir descendre à la cave.
Il est en bras de chemise : une belle chemise à fleurs rouges. Il a le beau pantalon

et pas de faux col. Le faux col en celluloïd
est tout préparé sur la table de la cuisine
à côté des tasses propres. Il y a aussi les
deux boutons de fer et un nœud de cravate
tout fait, bien noir, bien neuf, acheté de
frais pour tout à l'heure.

Au fond de la cuisine il y a la porte du
couloir. Elle donne sur les escaliers des
chambres. Elle est ouverte; elle est comme
peinte d'une lumière de cierge qui tombe
d'en haut. A des moments où il y a un peu
de calme, Agathange va à la porte et appelle doucement :

— Norine, vous n'avez besoin de rien ?

Une petite voix descend :

« Non. »

— Pas un peu de rhum ? Un peu de
rhum, allez.

— Non, va, fais ton travail.

Tout en servant, Agathange regarde la
pendule. Il va bientôt être trois heures.

— Quatre fines ? Bon.

Il va bientôt être trois heures. Et voilà
Norine qui est desendue dans la cuisine.

— Tu as pensé à la caisse, oui ? Bien
sûr ?

Elle demande à Agathange parce qu'on n'est pas encore venu. Il se ferait temps. Avec la chaleur qu'il fait, il vaudrait mieux qu'il soit dedans.

Agathange a sous le bras la bouteille de fine et à la main la débéloire, et sur l'autre main le plateau avec des tasses.

— Eh oui, tante, je vous l'ai déjà dit, j'y ai pensé, mais juste un jour de foire. Et puis, ça n'est pas l'heure encore, pas tout à fait, c'est pas trois heures. Il m'a dit qu'il viendrait le mettre dedans à trois heures; c'est moins cinq. Tenez : ça sonne. Il va venir, ne vous inquiétez pas.

La petite vieille regarde les tasses propres sur la table et le faux col, et la cravate noire, et l'Agathange qui est rouge et luisant de sueur, et le tiroir du comptoir tout ouvert et qui déborde de billets de cinq francs...

— C'est pas que je m'inquiète, mais... il ne sent pas bon, tu sais...

C'est Jérémie qui a poussé le rideau de la porte et qui a crié :

— Monsieur Astruc, vous voulez du blé ?

L'autre en a été si bien bousculé de ça qu'il s'est tourné d'un bloc et que la table et les verres ont tremblé.

— Et où tu en as vu, toi, du blé ? Y en a pas dix grains de propre dans tout ton pays.

— Je sais pas s'il y en a dix grains de propres mais, de sûr, j'en ai vu six sacs et du beau.

Il est entré et il est venu sur ses longues jambes jusqu'à la table. Monsieur Astruc le regarde. Jérémie s'y connaît en regards :

— Donnez-moi une cigarette.

M. Astruc sort son paquet.

— Je vous en prends deux.

— Et alors ?

— Alors, c'est là-bas, derrière les chevaux de bois, à un endroit que d'habitude on y met les mulets. Il a fallu moi pour aller regarder là-bas. Y en a un qui est là, avec ses sacs devant lui. Il ne dit rien à personne. Il regarde. Il est là. Il attend. Je lui ai dit :

— Hé, qu'est-ce que tu as là ?

— Du blé, il m'a dit. Et, le plus curieux, c'est que c'est vrai. Vous savez
monsieur Astruc, je m'y connais, vous le
savez, c'est pas la première fois... Eh bien,
je suis sûr que, du blé comme ça, vous n'en
avez jamais vu.

Donnez-moi un peu de feu.

— Qu'est-ce que tu bois ?

— Rien; j'ai assez bu. Mais, si vous
faites l'affaire, vous me donnerez quelque
chose. Je pouvais aussi bien aller voir le
Jacques, mais, j'ai pensé à vous d'abord.

M. Astruc, c'est un beau ventre bien
plié dans un gilet double, avec une
chaîne de montre qui attache tout et c'est
sur deux petites jambes, mais ça se lève
tout d'un coup.

— Il faut que j'aille voir. Agathange,
je reviens, fais servir des bocks.

C'est bien six sacs qu'il y en a. On les
voit d'ici. M. Astruc les a déjà comptés. Il
a déjà vu qu'il y a du monde qui regarde le
blé. Il a déjà vu qu'il n'y a pas encore les
autres courtiers.

— Laissez passer, laissez passer.

Son premier regard est pour le blé. Il en
a tout de suite plein les yeux.

— Ça, alors !

C'est lourd comme du plomb à fusil.
C'est sain et doré, et propre comme on ne
fait plus propre; pas une balle. Rien que
du grain : sec, solide, net comme de l'eau
du ruisseau. Il veut le toucher pour le sentir couler entre ses doigts. C'est pas une
chose qu'on voit tous les jours.

— Touchez pas, dit l'homme.

M. Astruc le regarde.

— Touchez pas. Si c'est pour acheter,
ça va bien. Mais si c'est pour regarder,
regardez avec les yeux.

C'est pour acheter mais il ne touche pas.
Il comprend. Il serait comme ça, lui.

— Où tu as eu ça ?

— A Aubignane.

M. Astruc se penche encore sur la
belle graine. On la voit qui gonfle la
toile des sacs. On la voit sans paille et sans
poussière. Il ne dit rien et personne ne dit
rien, même pas celui qui est derrière les
sacs et qui vend. Il n'y a rien à dire. C'est
du beau blé et tout le monde le sait.

— C'est pas battu à la machine ?

— C'est battu avec ça, dit l'homme.

Il montre ses grandes mains qui sont blessées par le fléau et, comme il les ouvre, ça fait craquer les croûtes et ça saigne. A côté de l'homme, il y a une petite femme jeune et pas mal jolie, et toute cuite de soleil comme une brique. Et elle regarde l'homme de bas en haut, toute contente. Elle lui dit :

— Ferme ta main, ça saigne.

Et il ferme sa main.

— Alors ?

— Alors, je te le prends. C'est tout là ?

— Oui. J'en ai encore quatre sacs, mais c'est pour moi.

— Qu'est-ce que tu veux en faire ?

— Du pain, pardi.

— Donne-les, je te les prends aussi.

— Non, je vous l'ai dit, je les garde.

— Je t'en donne cent dix francs.

— C'est pas plus, demande un homme qui est là ?

Celui de derrière les sacs a regardé la petite femme. Et il a fait un sourire avec ses yeux et ses lèvres, et puis il a tourné, sa figure vers M. Astruc, sans le sourire, toute pareille à celle qu'il avait tout à l'heure quand il a dit : « Touchez pas. »

— Je sais pas si c'est plus ou si c'est moins, mais, moi, j'en veux cent trente.

Le regard de M. Astruc s'est abaissé sur le blé. Puis il a dit :

— Bon, je le prends.

Et, il ne l'a pas dit, il l'a gueulé, parce que l'orgue des chevaux de bois avait commencé de grogner.

— Mais, les dix sacs, il a encore gueulé.

— Non, a crié l'homme. Ces six, et pas plus; les autres, je les garde, je te l'ai dit. Ma femme aime le bon pain.

Ça en fait une affaire, ce blé ! Tout le monde en parle. D'abord, M. Astruc en a mis deux grosses poignées dans sa poche. Et il les fait voir ici et là, partout.

— Regardez un peu, il dit.

Et il ouvre sa main grasse, et elle est pleine de ce beau blé, beau et solide comme un homme.

— Ça alors ! font les gens. Et cette année surtout !

— Et toutes les années, tu peux dire, ajoute M. Astruc, toutes les années; c'est un blé de concours, ça. C'est la première fois que j'en vois. Et tout battu au fléau et vanné au mistral. C'est pas un manchot, celui qui a fait ça. Et il en a les mains en sang.

On écoute et on siffle un long sifflement d'admiration.

— Collègue !

Et le Jérémie !

Il va par toute la foire.

— Tu as vu le blé qu'il a acheté, Astruc ?

Si on dit oui il fait :

— C'est moi qui l'ai trouvé. Il allait partir sans rien, nu comme un ver. C'est moi qui l'ai trouvé.

Si on dit non, alors, il attrape l'homme par l'épaule et lui crie :

— Va le voir que de ta vie tu en verras.

Ça en fait une affaire !

A quatre heures de l'après-midi, on ne parle plus que de ça.

— C'est un d'Aubignane, y paraît.

— Je crois que je le connais.

9

— Vous voyez ce que c'est que la terre.
Ils sont tous partis un après l'autre que ça
ne payait pas, il paraît : et puis, vous
voyez.

— Agathange le connaît.

— Moi aussi, on y dit Panturle. Son
nom : c'est Bridaine ; on est un peu cou-
sins, de loin, du côté de la femme.

— On a beau dire, ce blé du dehors,
pour nos terres, ça ne vaut pas le blé du
pays. Tu vois...

Et M. Astruc court comme un rat malgré son gros ventre et il a toujours la main
à la poche.

Derrière les chevaux de bois, là-bas,
sous les tilleuls, il y a toujours Panturle.
Il est lourd et tout saoul de cet orgue qui
grogne comme dix pourceaux, et il est
lourd aussi de tout cet argent qu'il a dans
la main. Arsule est contre lui, appuyée
contre lui et luisante de joie comme une
flamme de cierge.

C'est ça, le vin de Panturle : c'est de la
sentir contre lui et contente. Là qu'il n'y
a personne, il lui met son bras autour de

la taille et il la serre un peu pour la sentir
souple et qui se plie comme une gerbe ; et,
dans son autre main il a les sous.

— Tu es contente ? il lui dit.

— Je serais difficile...

— Ça en fait de l'argent, ça. Combien
tu dis que ça fait ?

— Sept cent quatre-vingts.

— J'en ai jamais tant eu.

Puis, ils se sont dressés et ils sont partis
dans la foire. C'était entendu comme ça.
Et tant qu'ils n'ont pas été dans le monde,
Panturle a gardé Arsule serrée contre lui
avec l'arc de son bras, mais comme ils ont
débouché entre les baraques, il l'a pressée
une dernière fois puis il l'a lâchée. Et ils
vont comme deux personnes raisonnables.

Ils se sont arrêtés devant l'étalage de
Lubin.

— Celui-là, il vend bon. Tu devrais
t'acheter une paire de pantalons et une
veste.

— Et toi ?

— Ah ! moi...

— Si tu t'achètes rien, moi non plus.

— Moi, je verrai.

— Moi aussi.

Et ils ont passé.

Ça a failli les brouiller parce que ça a été comme ça devant les souliers et devant tout. A la fin, Panturle a pris les billets qui étaient dans son sein, entre la chemise et la peau et il les a donnés à Arsule. Tous.

— Tiens, fais un peu ce que tu veux.

Comme ça, ça a marché : ils ont acheté la veste, les pantalons, les souliers, deux couvertures bien belles, toutes de laine, un gros panier qui ferme avec une tringle, six mouchoirs, trois larges et trois petits, une longue corde, une pierre à aiguiser, trois couteaux de table, une casserole, un faitout.

Et puis, Arsule s'est mise à rire; elle a tiré un billet de dix francs et elle a dit :

— Tu me le donnes, celui-là ?

— Eh, je te les donne tous.

— Non, mais, celui-là, je le veux pour moi.

— Tu n'as qu'à le prendre.

Elle l'a pris en riant puis elle a dit :

— Attends-moi, je vais m'acheter quelque chose.

Il a attendu, là, près de la Poste. Elle a quitté la foire et elle est descendue dans la rue qui va à la grand'place.

Au bout d'un moment, elle est revenue avec un petit paquet plié dans du papier de soie.

— Tiens, elle a dit :

Ça a été une belle pipe toute neuve. En bois de bois, et un paquet de tabac.

Il en avait les larmes aux yeux. Il n'a su que dire :

— Toi, toi... comme une menace, comme pour dire : « Toi, si jamais je te tiens... »

Elle en est toute gonflée de joie comme un pigeon.

— Je savais que tu en avais envie. Et, tu vois, il m'a resté seize sous.

Et, c'est vrai, il lui reste seize sous.

Ils auraient pu attendre Amoureux. C'est lui qui leur a porté les sacs avec la charrette et il leur a dit :

— A six heures soyez devant le charron et attendez-moi, on rentrera ensemble.

Mais ils en ont assez de tout ce bruit,

de ces musiques, de tous ces cris, des pé-
tards, et de tous ces gens qui boivent, et
de tous ces marchands qui chantent, et de
l'orgue qu'on tourne à tour de bras.

— Ça me fait un zonzon, dit Panturle,
qu'à l'endurer je deviendrais fou.

— Et moi ! dit Arsule.

Le vrai, c'est qu'ils ont soif d'être seuls
dans leur silence. Ils ont l'habitude des
grands champs vides qui vivent lentement
à côté d'eux. Là, ils sont cimentés, chair
contre chair, à savoir d'avance à quoi l'autre réfléchit, à connaître le mot avant qu'il
ait dépassé la bouche, à connaître le mot
quand on est encore à le former péniblement dans le fond de la poitrine. Ici, le
bruit les a tranchés comme un couteau et
ils ont eu besoin, tout le jour, de se toucher
du bras ou de la main pour se contenter un
peu le cœur.

— Tu ne sais pas ce qu'on devrait faire,
si on faisait bien ? On partirait tout de
suite à pied.

Ils sont partis par la route de Saint-
Martin; ça fait raccourci.

Il y a eu d'abord un grand peuplier qui s'est mis à leur parler. Puis, ça a été le ruisseau des Sauneries qui les a accompagnés bien poliment en se frottant contre leur route, en sifflottant comme une couleuvre apprivoisée; puis, il y a eu le vent du soir qui les a rejoints et qui a fait un bout de chemin avec eux, puis il les a laissés pour de la lavande, puis il est revenu, puis il est reparti avec trois grosses abeilles. Comme ça. Et ça les a amusés.

Panturle porte le sac où sont tous les achats. Arsule, à côté de lui, fait le pas d'homme pour marcher à la cadence. Et elle rit.

Il est venu alors la nuit et c'était au moment où, sortis du bois, ils allaient glisser dans le vallon d'Aubignane; il est venu alors la nuit, la vieille nuit qu'ils connaissent, celle qu'ils aiment, celle qui a des bras tout humides comme une laveuse, celle qui est toute brillante de poussière, celle qui porte la lune.

On entend respirer les herbes à des kilomètres loin. Ils sont chez eux.

Le silence les pétrit en une même boule
de chair.

Il y a eu, juste après cette foire, trois
jours comme on en a souvent au commencement de l'automne. Un choléra ! Ça a
fait les cent cochonneries : et du vent, et
de l'eau, et de l'orage; le ciel était comme
un chaudron. Avec ça, il a fait un froid de
glace. Aujourd'hui, il reste un beau brouillard blanc comme du lait. C'est trop
mouillé, on ne peut pas sortir, on porterait
tout le champ sous le soulier. Panturle est
dans la cuisine à faire un manche pour le
tournevis. Arsule a vidé l'armoire. Elle
a trouvé au grenier une malle pleine de
journaux qui datent de l'an sept. Avec des
ciseaux, elle fait des festons dans le papier pour le mettre sur les planches.
— Ça protège puis ça fait joli.
Elle est là-haut à la chambre; on l'entend aller et venir. Le brouillard est contre
la vitre. On ne voit même pas le village.
On entend dans ce brouillard un corbeau
qui crie. Et on le voit passer de temps en

temps devant la vitre comme une ombre de l'air. A part ça, pas de bruit, sauf le craquement du silence.

Panturle s'est mis dans le petit rond de jour gris qui coule de la fenêtre. Il a amenuisé un morceau de branche de chêne et il le fait entrer de force dans le collier du tournevis.

Mais le voilà tout d'un coup qui lève le nez et qui reste un moment, les mains perdues, à écouter. Puis, il se tourne doucement vers la porte. Et, en se tournant, il fait attention de poser ses pieds sans bruit sur les dalles, et le voilà, maintenant, il fait face à la porte. Il envoie sa main sur le grand couteau de chasseur qui est sur la table. Il bloque le manche épais dans son poing et la lame est dessous comme une feuille d'iris mouillé. Sans bouger la tête il regarde cette lame. Ça va. Elle est là. Bon. Il respire alors silencieusement à grands coups.

Et voilà que, sur la porte, il y a comme un frôlement. Et voilà qu'on a poussé la porte un peu, pour voir. Lui, il a compris ça parce que, depuis qu'il a saisi le couteau,

il ne lève plus ses yeux de dessus le grand
levier de la serrure, le levier qui est retenu
par un cran de fer. Et ce levier, qui a un
peu de jeu a bougé à plat, et il a claqué
contre le cran. Panturle regarde encore une
fois le couteau. Puis, il a regardé le plafond.
Là-haut dessus, les pas d'Arsule ne s'entendent plus, mais il descend un petit
bourdon qui est une chanson et qu'il connaît bien... Bon. Elle est là-haut en train
de couper son papier. Ça va. Pour monter
là-haut, il n'y a que l'escalier. Et l'escalier, il y est devant, lui, Panturle et son
couteau.

Ça peut aller.

Voilà le levier de la serrure qui doucement se relève. Sans bruit; on fait attention. On pousse la porte. Déjà, par l'en-
trebail, le brouillard du dehors fume.

La porte s'ouvre. C'est un homme qui
est sur le seuil. Comme il voit Panturle,
il reste, la main sur la poignée de la porte.
C'est un vieux.

— C'est pas la maison de Bridaine, ça
ici ?

— C'est, dit Panturle.

— Salut, dit l'homme.

— Salut, dit Panturle.

— Je viens un peu voir pour... Attends ça ne te fait rien que j'entre ? Il fait pas chaud dehors.

— Entre. Et pousse la porte.

Panturle n'a pas lâché le couteau et regarde l'homme. L'homme fait un peu celui qui tremble, avec le frisson, en serrant sa veste.

— Il fait meilleur ici.

— Oui, il fait pas mauvais. Tu es seul ?

C'est à ce moment-là que l'homme a vu le couteau.

— Il a fait oh !

Puis :

— Oui, je suis seul, et tu n'as pas besoin de ça, Bridaine; je ne suis pas venu comme tu crois et je ne suis pas de ceux que tu crois. Et ça, c'est un bon couteau. Et je m'y connais en couteaux : je suis aiguiseur.

— Ah ! c'est ça, a fait Panturle; il lui est venu du sourire sous la moustache, et il a quitté le couteau.

— Oui, c'est ça, a dit l'homme.

Il l'a fait asseoir près de l'âtre et la
soupe cuit sur des braises sages. Il a écouté.
Le bourdon de là-haut, on l'entend à peine.
Il faut savoir pour l'entendre. Il vaut
mieux.

L'homme a regardé lentement les quatre murs, l'un après l'autre, en inspection.

Là, sur le mur de droite, il y a un fichu
de femme pendu à un clou. Il l'a vu sur
le manteau de la cheminée, il y a des boîtes
bien rangées; les plus grosses devant, les
plus petites en queue. D'un côté de la fenêtre, il y a une chaise et, sur le dos de la
chaise, des bas de femme; sur la paille de
la chaise, il y a une pelote de coton à repri-
ser, une boule de bois, une carte d'aiguilles. Ça va. De l'autre côté de la fenêtre... mais ça va comme ça.

— Alors voilà, dit l'homme, j'ai demandé et on m'a dit : « Il est à Aubignane. »
C'est presque ma route. J'ai fait un détour
et je suis venu. Ça ne m'allonge pas beaucoup : un peu mais tout juste, et puis, j'ai
quelque chose à te dire.

— Dis.

— Tu n'as pas bougé d'ici, toi ?

— Non.

— Et tu vas souvent dans la campagne, là, autour ?

— Oui.

L'homme se tait. Ça n'est pas encore mûr ce qu'il veut dire.

Il dit :

— Moi, une fois, j'ai passé par ici et je suis venu à cette maison, mais il n'y avait personne. Puis, cette fois-là, j'ai été embêté tout le temps. Puis, cette fois-là aussi, j'ai tiré, sur le bord, un homme qui se noyait dans le trou des Chaussières.

— Je sais.

— Tu sais ?

— Oui : c'était moi.

— C'était toi ?

Son contentement est tout écrit sur sa figure.

— Ah ! bon.

Il se détourne, le temps d'effacer cette joie qui se voit trop.

— C'était toi alors. Ah bon. Parce que, justement, tu pourras me dire et m'expli-

quer, et ça ne sera pas pour rien que je
serai venu jusqu'à Aubignane.

« Voilà en deux mots : cette fois-là, puisque c'était toi, j'étais avec une femme. Tu
sais ?

Un moment on n'entend que deux ou
trois grosses gouttes de pluie qui viennent
taper à la vitre, parce qu'il s'est mis fina-
lement à pleuvoir encore.

Panturle ne répond pas.

— J'étais avec une femme, donc. Je
vais te dire tout bien comme il faut pour
que tu comprennes. C'était une que j'avais
ramassée. Ça allait ensemble. Et puis,
de cette nuit-là, elle a disparu comme de
la buée. Elle s'est fondue dans l'air du
jour. Toi, je comprends, tu t'es remis,
comme le frais de la nuit tombait et tu
t'es trouvé là, tout seul parce que tu ne
nous voyais pas ; nous étions couchés sous
les saules. Alors, tu es parti, c'est naturel,
mais elle ? J'ai pas encore compris.

« Alors, voilà, je voulais te demander,
comme j'ai déjà demandé aux autres des
fermes, là-bas : des fois, en te promenant
par là, pour chasser ou d'autre, tu ne l'au-

rais pas rencontrée, ou vive ou morte, enfin de toute façon, n'importe comment,
pour savoir, afin que je sache, enfin.

On entend la pluie sur les vitres.

Il continue tout à la suite :

— Parce que je vais te dire, voilà ce
qui en est, et le vrai pourquoi. Cette
femme, je te l'ai dit, je l'ai ramassée
comme ça, à Sault un jour. Et c'est pas
de la fine fleur, non, pas précisément, mais
de la roulure d'un peu partout. Moi, pas
vrai, j'étais pas difficile, dans mon métier
et puis à mon âge, et puis, pour ce que
je voulais en faire ! Enfin, de toutes fa-
çons, c'est comme ça. C'est des « Marie-
couche-toi-là ».

« Et puis aussi, pour ce qui est des
choses de la maison, ces femmes-là, d'ailleurs c'est toujours comme ça — elle vaut
pas un pet de lapin. Tiens, moi, j'aime la
soupe de haricots secs avec quelques pommes de terre et des pommes d'amour, et
un petit brin de basilic, et un petit rayon
d'huile. C'est pas difficile. Elle l'a jamais
réussi. C'est comme ça. C'est un peu
chatte, tu sais ; ça se fourre au chaud dans

les cendres de tout le monde, ça y roupille,
mais, pour le travail, ah oui, l'a toujours
le temps.

« Et puis, pour le sentiment, tiens, voilà encore une chose qu'on aime. Et ça
coûte pas beaucoup les grand'mercis, et ça
montre qu'on est bien élevé, et puis ça se
doit. Eh bien, pour ces choses du sentiment, c'est du bois mort ou de la pierre. Tu
peux te mettre là à lui donner tout ce
qu'elle veut, lui faire de bonnes manières,
lui porter ci, lui porter ça, lui aplanir la
vie du jour. Rien : comme du bois; ça a
pas plus de reconnaissance que la borne
des routes. Tiens, j'ai eu un chien, moi,
j'en avais plus de satisfaction.

Tout le long de ça, Panturle s'est dressé;
il est allé à la table; il a pris sa pipe et son
tabac, puis il est revenu s'asseoir; il a bien
bourré sa pipe du pouce et maintenant,
il l'allume avec un morceau de braise. Il
a pris la braise directement dans le feu
avec ses doigts. Il la tient sur le tabac et
il pompe des joues. Et, enfin, la fumée
vient et, au bout d'un peu, elle est bien

épaisse. La braise est devenue noire entre
ses doigts.

L'homme après ça attend. Panturle regarde le bout de sa pipe.

— Je te dis tout ça, reprend l'homme,
parce que c'est la vraie vérité. S'il y a un
mot de trop, que je ne bouge pas d'ici. Des
fois, comme ça, dans la vie, ça vous em-
pêche d'être blousé. Parce que, avec des
êtres comme ça, plus on est bon, plus on
est vite ratiboisé. Alors, pas vrai, il vaut
mieux qu'on sache. Parce que, une fois
qu'on est prévenu, il faut qu'on soit andouille pour qu'on se laisse faire. Pas vrai?

Panturle fume. La pluie colle son ventre de limace contre les vitres. Une gout-
tière crache du côté de l'écurie. L'homme
met la main sur les genoux de Panturle :

— Collègue, voilà, j'ai tout dit. C'est
pour ton bien. Il m'a semblé te voir à la
foire. Et on m'a dit que tu sais où elle est,
cette femme ?

Panturle recule son genou. Il ôte la pipe
de sa bouche :

— Oui, je le sais, il dit. Elle est ici
avec moi.

— Et alors ?

— Alors rien.

— Après tout ce que je t'ai dit !

— Oui.

Ils restent comme ça à se regarder. Et alors sur la lèvre de l'homme, il est venu comme un sourire, un petit serpentelet de sourire qui a été coupé en deux par la voix de Panturle.

— Oui, après tout ce que tu as dit, parce que ça ne compte pas et... (il se cure la gorge, car il en a lui aussi à dire et pour longtemps, et de vraies vérités aussi et, une fois le gosier net, ça n'est plus la peine), et voilà.

Et puis, quand même, il veut écraser en plein le sourire.

— Qu'est-ce que ça peut me faire ? Et puis, on m'a fait deux yeux et deux oreilles, et deux bras, avec deux bonnes mains et je m'en sers seul, et je sais regarder l'alentour sans l'aide de personne, et je sais ce que je sais.

« D'abord, si elle est si mauvaise que ça, tu dois être bien content d'être débarrassé.

— Oui, mais c'était ma femme, et je l'ai nourrie pendant deux ans.

Panturle quitte la pipe sur la pierre de l'âtre. Et il tourne sa chaise, et il asseoit son grand corps bien en face de l'homme, et il commence de le regarder dans le droit fil de l'œil, sans cligner, et il reste comme ça un moment et les braises pouffent dans les cendres parce qu'il pleut le long de la cheminée.

— Tu l'as nourrie ? Pendant deux ans ! C'est possible. Et toi, collègue, tu as un peu pensé que, comme ça, elle t'avait donné deux ans de sa vie à elle ? Deux ans et, durant ces deux ans-là, tu as un peu pensé qu'elle se figurait sa vie finie et le reste des jours pareils à ceux qu'elle vivait avec toi ? Ecoute, ne te fâche pas, on est ici pour se parler, on est ici pour tout ce dire, face à face. Parce que, les morceaux que je tiens, d'habitude, je ne les lâche que si on me les fait lâcher, et, pour me les faire lâcher, faut être fort. Passons. Donc, tu as un peu pensé à ce que je te dis ? Ça devait pas donner beaucoup de rire d'être avec toi. Tu as combien ? Ne réponds pas

ça se voit. Tu me comprends ? A mon avis,
c'est payé.

L'homme est là à réfléchir, à faire son-
ner les mots en lui-même. Et ils ont bon
son.

— Ça va, qu'il dit. Ça va. Je suis payé,
tu dis. Et tu dis que je suis vieux. Bon,
c'est de ça que je veux te parler justement.
Je suis vieux; eh bien, c'est à ça surtout
que j'ai pensé quand je l'ai prise avec moi.
Tu sais pas encore, toi, ce que c'est que
d'être vieux. Tu le sauras, je te le sou-
haite. Alors, pour moi, c'était un peu la
compagne, et puis, j'aime mieux te le dire,
elle me traînait la charrette.

Et il se tait. Il baisse la tête. Il met sa
main droite sur son épaule gauche pour
tâter le mal dur qu'y a planté la bricole
et qui rayonne des racines de douleur dans
tous ses reins.

— Achète-toi un âne.

— C'est cher.

— Bon, dit Panturle lentement. Je suis
pas de ceux qui prennent dans le bien des
autres et j'aime quand on parle en face.
Ecoute : à te dire le vrai, je t'attendais

un jour ou l'autre. Tu es venu ce jourd'hui,
on va régler ça ce jourd'hui et ce sera fini.
Tu vas voir.

Il se dresse. Là, tout debout, il est aussi
grand que la cheminée. Il n'a qu'à étendre
la main et il a la petite boîte où il y a marqué « poivre » dessus. Il s'assoit.

— Voilà : l'âne, je te le paye. Mais, tu
me comprends; je te remplace la femme par
un âne. Tu me comprends ? Je te donne de
quoi acheter un âne et c'est fini.

Il tire de la boîte un billet de cinquante
francs.

— Oui, mais le harnais, dit l'autre, et
la longe, et tout ?... parce qu'il faut que je
fasse mettre un brancard à la charrette
alors...

— Bon, fait Panturle, ça sera donc
soixante, et voilà. Des ânes, tu en trouveras
à trente francs tant que tu voudras.

Il a les billets au bout de ses doigts. Il dit
encore un fois : « Tiens » parce que l'autre
hésite et mâche encore quelque chose dessous sa moustache :

— Tiens.

L'homme prend les deux billets, il les

compte : un, deux. Bon. Il les garde un peu dans les mains. Si des fois il y avait encore à y revenir... Non. Il les met dans sa poche. Ça y est.

— Mais, tu vas me faire un papier, dit Panturle.

— Un papier, et de quoi ? Ça se fait pas pour cette chose.

— Ça se fait pour tout. Tu mets : « Reçu soixante francs » et puis tu signes. Pas plus. Ça ira. On saura, toi et moi ce que ça veut dire. Va.

On a fait le reçu. Gédémus avait un crayon et il a déchiré une page de son carnet où il marque les comptes de chacun.

— Mets un trait dessous soixante, lui dit Panturle, pour que ça se voit bien. Là. Qu'est-ce qu'il y a d'écrit, là-dessous ?

— Gédémus, c'est mon nom.

— Bon, ça va. Attends, on va boire un coup.

Ils ont trinqué avec du vin.

— Maintenant je pars, dit Gédémus
— Eh oui, dit Panturle.

Il l'a accompagné jusqu'à la porte. Il ne pleut plus. Ça n'a pas été une grosse pluie. Il y a même du soleil au-dessus de la brume et l'herbe luit.

Gédémus s'arrête sur le seuil.

— Tout ce que je viens de te dire de la femme, là, tu sais, eh bien, il n'y a rien de vrai.

— Je sais, dit Panturle.

Il laisse la porte ouverte pour bien le regarder partir. Et voilà. Le silence revient. Une branche de tilleul s'égoutte dans un seau qu'on a laissé dehors.

Panturle rentre doucement jusqu'à la table. Il replace la boîte de poivre sur la cheminée.

Il faut mettre un manche à ce tournevis.

Maintenant que le silence est là, on entend encore là-haut Arsule qui chantonne en rangeant l'armoire.

IV

Les labours d'automne ont commencé ce matin. Dès le premier tranchant de l'araire, la terre s'est mise à fumer. C'était comme un feu qu'on découvrait là-dessous. Maintenant que voilà déjà six longs sillons alignés côte à côte, il y a au-dessus du champ une vapeur comme d'un brasier d'herbe. C'est monté dans le jour clair et ça s'est mis à luire dans le soleil comme une colonne de neige. Et ça a dit aux grands corbeaux qui dormaient en volant sur le vent du plateau : « C'est là qu'on laboure, il y a la vermine. » Alors ils sont tous venus, d'abord l'un après l'autre en s'appelant à pleine gorge, puis par paquets, comme de grandes feuilles emportées par le vent. Ils sont là autour de Panturle, à flotter dans l'air épais comme des débris de bois autour d'une barque.

Ça pouvait être dans les onze heures du matin quand Panturle s'est arrêté pour raccommoder la longe qui venait de casser. Et, juste au moment où il levait la tête, ayant fini, à travers le soleil, maintenant chaud, il a vu un homme debout sur le champ de Marius Aubergier.

Du coup, il en a laissé retomber la courroie.

Qu'est-ce que ça peut-être celui-là ? Arsule est seule à la maison. Il a pesé sur le pieu du frein et il a cloué comme ça l'araire bien profond dans la terre. Il a donc amarré la charrue bien solide là, au bout du champ, à telle force que le cheval pouvait faire la fantaisie sans rien risquer et il allait rentrer à la maison quand il a vu l'homme descendre vers lui. Alors, il l'a attendu. Mais il a laissé l'attelage à l'ancre parce qu'on peut avoir besoin de ses mains libres, on ne sait jamais.

L'homme est venu tout droit. Il avait une petite casquette; le velours de ses pan-

talons était presque neuf. On l'entendait crier de loin.

Arrivé auprès du sillon, il se penche et
il prend un peu de terre dans les doigts. Il
la regarde, il la sent, il la tripote dans ses
doigts à la faire couler, puis il regarde la
graisse rousse qui reste après sa peau. Puis
il essuie ses doigts après son pantalon, puis
il vient.

— Alors, qu'il dit, ça se fait bien ?

— Pas mal, répond Panturle.

De près, c'est un homme un peu plus
petit que Panturle, mais tout râblé, avec
de bons angles, des épaules en devant de
brouette et de bonnes mains.

— C'est de la riche terre ça, tu sais.

— Pas mauvaise, dit Panturle.

— Je te dis ça continue l'homme parce
que je vais être ton voisin. Oui. C'est pas
toi qui as vendu de si beau blé à la foire de
Banon ? Si ? Eh bien, c'est toi qui l'as
décidé, donc. Il y a bien longtemps que la
femme me dit : « Mettons-nous sur notre
terre, Désiré, on sera nos maîtres. » Il y
a longtemps qu'elle le dit, mais on n'a
jamais pu le faire. La bourse est pas grosse,

et la terre, tu sais, en plaine, ceux qui
l'ont la tiennent à pleines dents. Moi, je
suis fermier du côté de Mane. Et, au fond,
cette chanson de la femme, ça me travaille,
en dedans aussi, depuis beau temps. Alors,
ça s'est tout fait comme arrangé d'avance.

Panturle lui a dit :

Tu vas venir manger un morceau mais
laisse-moi encore faire trois raies. Et
l'homme a marché à côté de la charrue pendant que Panturle finissait. A tout moment
il se baissait sur la terre, il en prenait des
poignées et en tâtait la graisse.

En entrant à la maison, l'homme a eu
un regard heureux pour chaque chose. Il y
avait un beau jour gris, doux comme un
pelage de chat. Il coulait par la fenêtre et
par la porte et il baignait tout dans sa dou-
ceur. Le feu dans l'âtre soufflait et usait
ses griffes rouges contre le chaudron de la
soupe, et la soupe mitonnait en gémissant,
et c'était une épaisse odeur de poireaux, de
carottes et de pommes de terre bouillies
qui emplissait la cuisine. On mangeait déjà
les légumes dans cet air-là. Il y avait, sur
la table de la cuisine, trois beaux oignons

tout pelés qui luisaient, violets et blancs,
dans une assiette. Il y avait un pot à eau,
un pot d'eau claire et le blond soleil tout
pâle qui y jouait. Les dalles étaient propres
et lavées et, près de l'évier, dans une grosse
raie qui avait fendu les pierres et d'où on
avait jour sur la terre noire, une herbe ver-
dette avait monté qui portait sa grosse
tête de graine (Arsule la laisse là pour le
plaisir. Elle l'appelle Catherine et elle lui
parle en lavant les assiettes).

L'homme a tout regardé en prenant son
temps, un temps pour chaque chose, tout
posé. Il se fait une idée. Et, quand il se
l'est faite, il dit :

— Vous êtes bien, là.

Et, cette idée, si des fois elle n'avait pas
été bien finie, elle s'est finie avec la bonne
soupe d'Arsule, une pleine écuellée que les
bords en étaient baveux, puis encore une,
avec tous les légumes entiers, avec les poireaux blancs comme des poissons et des
pommes de terre fondantes, et les carottes
et tout le goût que ça laisse dans la bouche. Il y a eu une grande taillade de jambon
maigre avec un liséré de gras qui miroite

comme de la glace de fontaine. Puis il y
a eu le fromage jauni entre les feuilles de
noyer et parfumé aux petites herbes, et
l'homme a mâché plus lentement, alors,
d'abord parce qu'il commençait à avoir le
ventre plein et puis parce qu'avec sa bouchée il lui semblait qu'il pétrissait de la
langue un morceau de la colline même avec
toutes ses fleurs. Alors la pensée a été finie
en plein et il a encore dit :

— Vous êtes bien ici, vous êtes bien !

Puis :

— Ça, c'est la vie !

Puis :

— Quelle bonne ménagère !

Puis :

— On sera voisins, de bons voisins, des
choses comme il n'y a plus qu'ici... Je te
prêterai mon mulet; j'ai un semoir améri-
cain. Et puis, tu verras... tu verras, va...

Alors, il est venu l'heure de se séparer,
parce que, depuis un moment, l'homme ne
dit plus rien, tout saoulé de bonne soupe en
dedans et tout saoulé de bonnes images en
dehors. Et Panturle s'est mis à repenser

à son travail. Alors, il est venu le moment
de partir. L'homme a serré la main de·Pan-
turle. Il a serré le petit doigt d'Arsule qui
avait les mains mouillées, déjà attelée à
son lavage et il leur a dit en s'en allant :

— A dans trois jours; vous verrez toute
la famille : la femme qui est bonne, elle
aussi, puis les galopins; vous verrez, j'ai
un garçon et deux petites filles.

Il a donc fallu installer tout ce monde.
Ça a été une belle fête.

Il était peut-être dans les quatre heures
du matin, en pleine nuit quoi, quand ils
sont arrivés. On dormait dans la maison.
Ça a été d'abord des :

— Oh ! l'homme, qui ont dû durer pas
mal de temps parce qu'on dormait comme
des sourds. Puis ils ont tapé contre la porte
et Panturle s'est levé.

On les a fait entrer dans la cuisine. Le
feu a été vite allumé, Arsule est descendue
avec un jupon seulement sur sa chemise et
toute fleurie de ses seins gras. Puis, devant
le monde, elle s'est couverte.

La femme de Désiré, c'est Delphine

qu'elle s'appelle. C'est une petite femme
replète, toute bien charnue par devant et
par derrière. Elle a un cou épais qui semble
fait en graisse de porc, deux petits yeux
bien aigus et une bonne bouche de fruit.

— Oui, Madame, lui a dit Arsule.

Delphine est allée par trois fois à la carriole et, chaque fois, elle est revenue avec
les bras pleins d'un enfant endormi. Ça a
été d'abord la plus petite, Madeleine, avec
la figure comme gonflée de bon sommeil et
tout à fait comme une rose ouverte.

Puis la sœur Pascaline, et sa tête se ba-
lançant en arrière comme une courge au
bout de sa tige.

Puis le petit Joseph, et celui-là, il a
été presque sur le point de se réveiller. Il
a ouvert la bouche et il a dit :

— Allez, hue ! le bestiau.

Mais, c'était dans son rêve.

On les a couchés sur des sacs. On a fait
du vin chaud. L'aube est venu et le jour.
De ce temps, Désiré avait dételé le mulet
et l'avait mis à l'abri à côté de Caroline
dans l'étable.

— Le mieux à faire, a dit Panturle

c'est de laisser les bourgeoises là et d'aller,
nous deux; après, on reviendra les prendre.

C'est comme ça qu'ils ont fait, et Arsule
et Delphine ont lié connaissance en plein,
à leur façon, à la façon des femmes; en parlant de cette chose, puis de celle-là; du jupon, du confit d'olive, de ce que ça coûte
les souliers, de la peine qu'on a; qu'on ne
doit pas trop se plaindre. Et ça a bien
marché.

Les enfants se sont éveillés tout ébahis
et il y avait des bols de lait de chèvre pour
tous les trois et Arsule les leur a portés en
tremblant.

Puis, les hommes sont retournés :
c'étaient des frères. Ils avaient marché
dans de belles terres et le matin coulait
comme un ruisseau d'or.

— Ce qu'il faudra faire, Delphine, ça
sera de monter les lits, ceux des petits et
le nôtre, puis de placer la table. La cheminée est bonne. Pour la cuisine, celui-là
dit qu'on mangera ici, ce midi.

— Bien sûr, fait Panturle.

— Ah mais non, ça va déranger, dit Delphine.

Mais Arsule :

— Si, vous mangez ici; ça me fait joie
d'avoir un peu ces petits.

Elle ne les a pas quittés de tout le jour.
La maman avait du travail avec son ins-
tallation; elle les a promenés dans les
champs. Le petit garçon, lui, était avec
son père et Panturle qui mesuraient les
terres avec leurs grands pas. Arsule a pris
les deux fillettes par la main et elle les
promène dans tout l'alentour. C'est le plus
beau jour de toute cette fin d'automne.
L'air est bien aiguisé et bien net, mais le
soleil est encore chaud et il n'y a pas de
nuages. On entend le vol des grives dans
les genévriers. Un lièvre roux s'arrête tout
étonné au milieu de la garrigue puis part
d'un grand bond tendu à ras de terre. Des
corbeaux s'appellent; on les cherche, on ne
les voit pas. On dirait que c'est la grande
faïence bleue du ciel qui craque. Dans les
haies sans feuilles, il y a les fruits de
l'églantier que la gelée des nuits a touchés
et qui sont mous et doux.

La petite Madeleine a dit à Arsule qu'à
Mane on appelait ça des « gratte-cul ».

Elles ont ri toutes les trois et Arsule a dit :

— Attends que je te le gratte, moi, attends, va !

Elles sont allées près du ruisseau. Il était tout emmoustaché d'herbes sales et grognon parce que les pluies lui ont donné pas mal d'eau. Alors il se plaint. Il se plaint de graisse. Il n'est jamais content. L'été il est là à gémir qu'il va mourir, et puis... c'est toujours comme ça les ruisseaux.

Ainsi, les petites ont commencé leur amitié avec cette nouvelle terre.

Il y a un courlis qui appelle dans les taillis. Elles ont su que, quand on allait vers Basse-Lande, il faut serrer le fichu, autrement l'humide vous prend. Elles ont su que, quand on va vers le plateau, ce bruit qu'on entend, c'est le vent. Il ne faut pas avoir peur.

Puis, Arsule les a tant caressées !

Le soir est venu et on a entendu appeler :

— Pascali...i...ine.

On est revenu vers le village.

Delphine a déjà fait son nid. La maison où elle s'est installée est juste devant les champs en pente. En montant, on voit le feu de la lampe :

— Alors, vous ne voulez pas manger avec nous, ce soir ?

— Ah, dit Delphine, que voulez-vous, il faut s'accoutumer. Si nous commençons de ce soir à faire compagnie, il ne nous restera rien pour les veillées de cet hiver. Non, la maison est prête, on va y rester.

Il y a du feu dans l'âtre et des flammes de plus d'un mètre et ça fait un beau bruit doux au cœur. C'est déjà tout bien avenant, balayé et rangé. Il y a peu, mais c'est bien placé. Et, le long du mur, l'ombre fait meuble.

— Bonsoir, font les petites en tendant leurs joues.

Arsule descend toute seule. Là-haut, les petites parlent.

On dirait un nid de pies.

— C'est moi, dit Arsule en arrivant.

Panturle a fait la soupe.

— Et où vas-tu maintenant ?

— Voir la chèvre, dit Arsule.

Elle a cherché sous le ventre de Caroline
et là, dans le poil chaud, elle a tâté et elle
a pris un petit chevreau. Elle s'est assise
dans la paille, à côté de la mère chèvre.
Elle a mis le petit chevreau sur ses genoux.
Elle le caresse. Cette promenade, ça lui
a donné un grand appétit de caresses
d'enfant.

V

Il est revenu le grand printemps.

Le sud s'est ouvert comme une bouche. Ça a soufflé une longue haleine, humide et tiède, et les fleurs ont tressailli dans les graines, et la terre toute ronde s'est mise à mûrir comme un fruit.

L'escadre des nuages a largué les amarres. Ça a fait un grand et long charroi de nues qui montaient vers le nord. Ça a duré; à mesure, on sentait la terre qui se se gonflait de toutes ces pluies et de la vie réveillée de l'herbe. Enfin, une belle fois, on a vu bouillonner le ciel libre sous la poupe du dernier nuage.

Il est resté pourtant une balayure de ciel et elle flotte, accrochée au clocher d'Aubignane comme un linge autour d'une pierre dans un ruisseau.

On est là ; on n'ose pas encore commencer
la peine de printemps, prendre la bêche ou
le sac aux semences, commencer ; on n'ose
pas. Il peut pleuvoir encore, d'un moment
à l'autre ; on est directement sous le halè-
tement du grand nuage, et le jeune jour
blond est encore tout tremblant d'éclairs.

— Ça, tant qu'il ne sera pas venu, le
vent...

Panturle est assis près du rocher, sous le
cyprès. Il a posé ses mains inutiles sur les
genoux. Il fume. Il regarde sa fumée. Elle
se déploie hors de sa pipe comme une chose
vivante ; elle a du corps. C'est que l'air est
encore calme. Le vent n'est pas venu.

Il écoute.

Non, le vent n'est pas venu. On n'entend pas son pas dans le ciel, mais, le sud
est tout propre et ça ne tardera pas. Peut-
être ce soir, peut-être demain.

— C'était comme ça, le soir de la Mamèche. Et depuis... Si elle voyait ça. Elle
le voit ou il n'y a pas de justice.

Désiré a repeint ses volets et il a mis
une porte neuve à sa grange. On entend
Delphine qui appelle ses petites, et puis

des voix d'enfants dans les haies. Les deux maisons ont le velours de labours devant leurs portes comme des tapis.

Panturle est à la réflexion. C'est un jour clair. On voit bien des choses. Ça arrive net et propre devant les yeux et l'on voit bien les pourquoi et les comment. Il voit l'ordre. Et c'est tout clair qu'il faut vider les ordures de l'autre côté du lilas, et c'est tout clair que si on ne vidait pas les ordures de l'autre côté du lilas mais si on les vidait, par exemple là, ou là à côté du petit cerisier, ça donnerait des mouches, et puis ça sentirait mauvais, et puis ça ne serait plus de l'ordre. Il comprend. Il est bon d'avoir damé une aire et d'avoir scellé un essieu au vieux rouleau. Il est bon d'avoir, sur la cheminée, une petite boîte, même si, sur la petite boîte il y a marqué « poivre ». Il est bon d'avoir cette boîte toute prête pour le cas où on aurait l'occasion d'un bon mulet. Ça peut arriver. Il faudra voir. On ne peut pas toujours vivre d'emprunt.

Dans le chemin qui descend, il y a Ar-

sule et ses galoches; on les entend toutes les
deux. Arsule chante. La voilà qui tourne
la haie.

Elle vient. Elle traîne un peu les pieds.
Elle bouge un peu les épaules en marchant
comme s'il fallait aider les jambes avec
toutes les forces du corps. Elle s'est alour-
die; elle s'est alentie. Elle joue avec une
branche d'aubépine.

Il la regarde venir. Elle va, sur l'herbe
neuve, en choisissant des places où il n'y a
pas encore des pâquerettes. La voilà.

— Et tu es là, au mourant du soleil ?...

— Ah, il lui dit, je pense...

Il la voit avec des yeux tout neufs. Il la
voit dans son ampleur et son aplomb.

Il étend son bras :

— Arrête-toi, attends un peu, fille.

Puis :

— Approche-toi, fais-toi voir.

Elle vient contre lui. Il la saisit par ses
hanches courbes. Elle est comme une jarre
entre ses mains.

— On dirait... tu n'étais pas si
grosse...

Il tient dans ses mains toute la rondeur

de la jarre de chair. Il interroge comme ça,
de bas en haut. Elle a baissé son visage
plein d'un contentement comme le ciel.

— Oui, elle dit; maintenant, tu sais.

— C'est sûr ?

— Franc comme l'or, et déjà vivant et,
l'autre nuit, j'ai senti un coup de son
pied, là.

Elle tâte son flanc.

— Tu m'as dit : « Qu'est-ce que tu as ? »
Je t'ai dit : « Rien ».

Il se dresse. Il a mis son bras sur l'épaule
de la femme. Voilà. Elle a encore sur ses
épaules ce bras nu qui est comme un poids
d'eau.

— Fille...

C'est tant de choses qu'il y a à dire que
mieux vaut dire : « Fille », puis rester là.
Et tout ce qui est encore à dire, on le laisse
dans le chaud du cœur où c'est sa place.
Elle souffle encore le long de lui :

— J'y pense et j'en ai des chatouilles
dans les mains et sur la bouche et je languis
de l'avoir dans mes doigts et de le baiser
sur son partout où je pourrai, de tous les

côtés. Elle dit encore au bout d'un moment :

— Je serai bonne nourrice, je sens mes
seins qui germent. Puis :

— Ça me laisse parfois là, desséchée
comme une écorce.

Ils sont restés longtemps muets, à respirer l'un contre l'autre. Et c'est encore elle
qui a dit, comme à la suite d'un rêve qu'elle
faisait :

— Nous serons dans l'herbe, lui et moi;
et je ferai gicler mon lait dans l'herbe pour
le faire rire.

Un appel descend du village :

— Pascali...i...ine.

Delphine cherche ses fillettes.

— Moi aussi, dit seulement Arsule.

Maintenant Panturle est seul.

Il a dit :

— Fille, soigne-toi bien, va doucement;
j'irai te chercher l'eau, le soir, maintenant.
On a bien du contentement ensemble. Ne
gâtons pas le fruit.

Puis il a commencé à faire ses grands
pas de montagnard.

Il marche.

Il est tout embaumé de sa joie.

Il a des chansons qui sont là, entassées dans sa gorge à presser ses dents. Et il serre les lèvres. C'est une joie dont il veut mâcher toute l'odeur et saliver longtemps le jus comme un mouton qui mange la saladelle du soir sur les collines. Il va, comme ça, jusqu'au moment où le beau silence s'est épaissi en lui et autour de lui comme un pré.

Il est devant ses champs. Il s'est arrêté devant eux. Il se baisse. Il prend une poignée de cette terre grasse, pleine d'air et qui porte la graine. C'est une terre de beaucoup de bonne volonté.

Il en tâte, entre ses doigts, toute la bonne volonté.

Alors, tout d'un coup, là, debout, il a appris la grande victoire.

Il lui a passé devant les yeux, l'image de la terre ancienne, renfrognée et poilue avec ses aigres genêts et ses herbes en couteau. Il a connu d'un coup, cette lande terrible

qu'il était, lui, large ouvert au grand vent
enragé, à toutes ces choses qu'on ne peut
pas combattre sans l'aide de la vie.

Il est debout devant ses champs. Il a ses
grands pantalons de velours brun, à côtes;
il semble vêtu avec un morceau de ses labours. Les bras le long du corps, il ne bouge
pas. Il a gagné : c'est fini.

Il est solidement enfoncé dans la terre
comme une colonne.

LA PRÉSENTE ÉDITION (14ᵉ TIRAGE,
DÉPOT LÉGAL 3ᵉ TRIMESTRE 1930,
NUMÉRO D'ÉDITION 323) A
ÉTÉ ACHEVÉE D'IMPRIMER LE
16 AVRIL 1947, PAR L'IMPRIMERIE
RÉGIONALE, A TOULOUSE.